HAMLET
OTELO
A DÉCIMA SEGUNDA NOITE
REI LEAR
A TEMPESTADE

WILLIAM SHAKESPEARE

HAMLET
OTELO
A DÉCIMA SEGUNDA NOITE
REI LEAR
A TEMPESTADE

Recontados por GERALDINE McCAUGHREAN

Ilustrações • LAURENT CARDON

Tradução • MONICA STAHEL

Martins Fontes
São Paulo 2006

Esta obra foi publicada originalmente em inglês com o título
STORIES FROM SHAKESPEARE por Orion Children's Books Ltd.
Copyright © Geraldine McCaughrean 1994.
Fica assegurado a Geraldine McCaughrean o direito de ser
reconhecida como autora desta obra.
Copyright © 2006, Livraria Martins Fontes Editora Ltda.,
São Paulo, para a presente edição.

1ª edição 2006

Tradução
MONICA STAHEL

Acompanhamento editorial
Luzia Aparecida dos Santos
Revisões gráficas
Solange Martins
Maria Regina Ribeiro Machado
Dinarte Zorzanelli da Silva
Produção gráfica
Geraldo Alves
Paginação
Moacir Katsumi Matsusaki

Dados Internacionais de Catalogação na Publicação (CIP)
(Câmara Brasileira do Livro, SP, Brasil)

McCaughrean, Geraldine
    Hamlet ; Otelo ; A décima segunda noite ; Rei Lear ; A tempestade / William Shakespeare ; recontados por Geraldine McCaughrean ; ilustrações Laurent Cardon ; tradução Monica Stahel. – São Paulo : Martins Fontes, 2006.

    Título original: Stories from Shakespeare
    ISBN 85-336-2328-3

    1. Shakespeare, William, 1564-1616 2. Teatro – Literatura infanto-juvenil I. Cardon, Laurent. II. Título. III. Título: Otelo. IV. Título: A décima segunda noite. V. Título: Rei Lear. VI. Título: A tempestade.

06-7274   CDD-028.5

Índices para catálogo sistemático:
1. Teatro : Literatura infanto-juvenil 028.5
2. Teatro : Literatura juvenil 028.5

Todos os direitos desta edição para a língua portuguesa reservados à
Livraria Martins Fontes Editora Ltda.
Rua Conselheiro Ramalho, 330 01325-000 São Paulo SP Brasil
Tel. (11) 3241.3677 Fax (11) 3105.6993
e-mail: info@martinsfontes.com.br http://www.martinsfontes.com.br

Sumário

Introdução 7

Hamlet 11
A décima segunda noite 33
Otelo 53
Rei Lear 73
A tempestade 95

Introdução

O que Shakespeare pensaria se pudesse fazer uma visita aos dias de hoje? O que sentiria ao ver suas peças encenadas no mundo todo, publicadas em livros, incluídas nos currículos de todas as escolas? O que diria ao ver multidões de turistas visitarem sua terra natal, estudantes discutirem seus textos nos ônibus, pessoas de todo tipo citarem suas frases, filas de gente nas portas dos cinemas para assistir às versões filmadas de suas peças? Enfim, qual seria sua reação ao ver sua obra reverenciada por toda parte, como uma segunda Bíblia?

Em sua época, as coisas eram bem diferentes. Shakespeare escrevia, rapidamente e enfrentando a concorrência implacável de muitos outros bons dramaturgos, para um público muito exigente. Os espectadores comuns do Globe Theater, que pagavam uma ninharia para ficar em pé na platéia, faziam algazarra, vaiavam e atiravam bagaços de maçã no palco quando o espetáculo não lhes agradava. A aristocracia, quando não gostava da peça, abandonava o teatro antes do final da sessão. Os atores eram todos homens, seus enredos eram emprestados dos outros autores, suas montagens e acessórios eram rudimentares. Ao cenário chegavam a se misturar membros do público mais rico, que pagavam para se sentar no palco. Havia modas e convenções que deviam ser seguidas. Cenas extravagantes faziam furor, e o sucesso musical mais recente nunca faltava quando era possível incluí-lo na ação. O que era escrito numa semana entrava no repertório da semana seguinte.

Mesmo assim, as peças que Shakespeare criava em meio a essas condições precárias eram tão notáveis, tão completas e de apelo tão universal que, quatrocentos anos depois, continuam fascinando o público.

Entre 1590 e 1612, Shakespeare cunhou frases que ouvimos e utilizamos até hoje, como a famosa "ser ou não ser, eis a questão", de *Hamlet*.

Se Shakespeare de fato "tomava emprestadas" suas histórias, o fato é que ele sabia reconhecer uma boa história e sabia como torná-la melhor. Não há o que substitua assistir às peças ou ler o texto do próprio autor, em sua linguagem magnífica. No entanto, por meio deste livro, o leitor poderá ter um primeiro contato com Shakespeare, uma primeira idéia da diversidade e do interesse do mundo desse grande dramaturgo. Aqui estão, em linguagem simples e fluente, algumas das histórias que ele contou em suas peças. Nelas ele aborda o amor, o heroísmo, o sobrenatural, a sede de sangue, a tristeza insuportável e a alegria arrebatadora, a loucura e a sabedoria, lugares e tempos distantes. São histórias povoadas por personagens que todos nós já encontramos em sonhos doces, em pesadelos e na vida real. E é bom lembrar que o principal objetivo de todas as suas peças era proporcionar entretenimento prazeroso, mas que também fosse edificante, que fizesse pensar e aprender.

Shakespeare não era arrogante nem pretensioso, era um homem que nunca perdia de vista a maré da morte que um dia também o levaria. Portanto, se ele pudesse vir até nós, provavelmente não lhe interessaria desfrutar sua fama, receber elogios e ser adulado. Seu maior prazer seria constatar que, afinal, conseguiu driblar a morte e alcançar a imortalidade com a extraordinária riqueza de sua obra. E quem consegue isso merece ser conhecido.

Hamlet

Personagens principais da peça

•

O FANTASMA DO REI HAMLET, DA DINAMARCA, ASSASSINADO

CLÁUDIO,
atual Rei, irmão e assassino do Rei Hamlet

GERTRUDES,
viúva do Rei morto, agora casada com Cláudio

HAMLET,
Príncipe da Dinamarca, filho inconformado
de Gertrudes e do Rei morto

OFÉLIA,
amada do Príncipe Hamlet

LAERTES,
irmão de Ofélia

POLÔNIO,
lorde camarista, pai de Ofélia e Laertes

HORÁCIO,
melhor amigo de Hamlet

UM GRUPO DE ATORES ITINERANTES

UM COVEIRO

VÁRIOS GUARDAS, CORTESÃOS, MARINHEIROS E SOLDADOS

A ação se passa ao redor e no interior do castelo de Elsinore, na Dinamarca.

Hamlet

Era uma vez um castelo cheio de sombras, que bloqueavam as janelas, espreitavam nas escadarias, rondavam pelos cantos dos aposentos, reuniam-se nas cortinas dos leitos e conspiravam por trás das chamas trêmulas das lareiras. O Rei que morava nesse castelo festejava todas as noites, com fogos de artifício e música, mas a escuridão não se dispersava e o frio silêncio não se rompia. Sombras também tomavam os olhos dos hóspedes. O fantasma que então aparecia percorrendo as ameias aterrorizava os que o viam, mas na verdade apenas fazia parte da triste escuridão.

Um guarda falou do fantasma ao Príncipe Hamlet, que correu para o topo do castelo, esperando vê-lo também. E o fantasma apareceu. Ao ver seu rosto inconfundível, Hamlet passou a persegui-lo pelo telhado, ao longo dos muros cobertos de gelo, pedindo-lhe que falasse. Era o fantasma de seu pai, o antigo Rei.

— Sim, sou o espírito de seu pai, fadado a perambular pelas noites gélidas porque morri antes da absolvição completa de meus pecados. A morte foi muito repentina.

Os assassínios são sempre pérfidos;
Mas esse sobretudo é pérfido, estranho e perverso.

Fantasma, ATO I, CENA V

— Está falando da picada da serpente? — disse Hamlet.
— Picada da serpente que agora usa minha coroa e dorme com minha mulher... Isso mesmo, Hamlet, meu próprio irmão me assassinou. Derramou veneno em meu ouvido enquanto eu dormia no jardim, para me roubar o trono e a Rainha.
— Eu sabia! Em minha alma eu sabia! — exclamou Hamlet, que nunca entendera por que tinha tanto ódio de Cláudio.

Agora o rapaz sabia por que ficara tão estarrecido por sua mãe se casar com próprio irmão do marido, e tão pouco tempo depois da morte do velho Rei. Assassínio, claro! Isso explicava a aversão que ele sentia

pelo homem que agora compartilhava a cama da Rainha Gertrudes.
– Vingue meu pérfido assassínio! – pediu o fantasma. – E lembre-se de mim!
– Lembrar-me de você? Oh, Deus!
Como poderia deixar de se lembrar? Hamlet prometeu não ter outra coisa em mente enquanto Cláudio não morresse. Embora estivesse apaixonado, seus planos de se casar com Ofélia teriam de esperar. A felicidade precisaria dar lugar ao dever, ao dever de vingar seu pai!

O tempo está descontrolado. Ah, maldita desgraça
Eu ter nascido para ajustá-lo!

Hamlet, ATO I, CENA V

No entanto, para dissimular suas intenções, Hamlet primeiro fingiu-se de louco, como se, de tanta melancolia, tivesse perdido a razão. Assim, Cláudio iria sentir-se seguro e seria fácil matá-lo. Também não seria difícil simular loucura, pois Hamlet já se sentia meio fora de si, submerso em ódio e horror. Falou de seus planos ao melhor amigo, Horácio, mas pediu-lhe que mantivesse segredo.

Deveria ter confiado em sua amada Ofélia. Mas a moça, de repente, tornara-se fria e dissera-lhe que já não correspondia a seu amor. Hamlet não entendia sua atitude. Não sabia que se tratava de intrigas do pai dela, o dominador e insensível Polônio, que desejava o fim daquele romance. Agora Hamlet via Ofélia como inimiga, que já não podia participar de seu terrível segredo.

Assim, no dia seguinte, a moça se apavorou ao ver o antigo namorado vestido de preto, entrando sorrateiramente em seu quarto, descabelado, com olhar tresloucado. Como seu irmão Laertes viajara para a França, a quem ela poderia recorrer senão ao pai?

O pomposo e fanfarrão Polônio já não era o sábio político e filósofo de antes, embora mantivesse sua posição na corte. Agora, muitas vezes tomava decisões erradas e falava sem pensar. No entanto, Ofélia o amava e lhe contou o que acontecera.

– Você foi ríspida com o Príncipe ultimamente? – ele perguntou.

– Fiz o que o senhor mandou – disse Ofélia, consternada. – Disse-lhe que já não queria vê-lo.

– Ah, então foi isso que o enlouqueceu! – disse Polônio, em tom de confidência. – Imaginei que ele estivesse brincando com seus sentimentos, por isso achei que deveria ser rejeitado. Mas, pelo visto, ele a amava de verdade. Muito bem, muito bem!

E foi isso que ele contou ao Rei Cláudio e à Rainha Gertrudes quando, horrorizados, eles também presenciaram o comportamento estranho de Hamlet, seu palavreado insensato e seu olhar amalucado.

– Ouçam o que estou dizendo. O que causou isso foi uma decepção amorosa – Polônio garantiu. – Escondam-se atrás de uma das tapeçarias do corredor e darei um jeito para que os jovens se encontrem casualmente. Isso tudo é amor. Eu nunca deveria ter interferido!

O amor é uma força muito poderosa. A loucura é um disfarce muito perigoso.

A loucura de Hamlet pode ter começado como fingimento; no entanto, diante dos últimos acontecimentos, ele já não tinha pleno controle do juízo.

Hamlet era um estudioso e pensador. Por sua vontade, teria deixado o castelo de Elsinore na mesma ocasião que Laertes, para continuar seus estudos, mas a mãe não permitira. O fantasma insistia para que ele ficasse. Assim, seu cérebro de erudito não tinha nada com que se exercitar, não havia indagações que desafiassem sua inteligência, que o fizessem refletir. Seu único problema era como e quando matar Cláudio. Ruminava os fatos e os examinava por todos os ângulos.

E se o fantasma fosse um demônio enviado do inferno para intrigar Hamlet e tentá-lo a cometer um pecado imperdoável? E se a história do envenenamento fosse mentirosa? Isso tudo lhe passava pela cabeça. Hamlet precisava de provas.

No entanto, quanto mais refletia, mais o Príncipe mergulhava na depressão e no desespero. Seu pai fora assassinado; sua mãe, perfeita, afinal não era tão perfeita assim. Ofélia já não o amava. Valeria a pena viver assim? Então, o suicídio pareceu a Hamlet a única escolha que um homem são poderia fazer. No entanto, havia o medo de uma vida posterior que fosse pior do que a presente. Era a única coisa que incitava os homens a continuar, dia após dia, insuportavelmente: o medo de algo pior ao se deitarem para dormir o sono da morte.

Ser ou não ser, eis a questão:
Será mais nobre padecer na alma
Pedradas e flechadas da sorte ultrajante,

Ou se armar contra um mar de infortúnios
E pela luta lhes dar fim. Morrer, dormir...
Dormir, sonhar talvez. Ai, eis o empecilho...
Pois no sono da morte que sonhos poderão vir
                    Hamlet, A<small>TO</small> III, C<small>ENA</small> I

Enquanto Hamlet pensava em suicídio, Polônio, o Rei Claúdio e a Rainha estavam escondidos atrás das cortinas do longo corredor, espiando, ansiosos por se convencer de que Hamlet estava mesmo enlouquecido de amor por Ofélia. Se era esse o problema, seria fácil resolver. Polônio instruíra a filha a ir andando pelo corredor.

– Shh! O Príncipe! – sussurrou Polônio, agitado.

Encontrando-se inesperadamente com Ofélia, Hamlet foi pego desprevenido por sua frágil beleza. Quase deixou de lado sua loucura simulada. Mas, ao ver que ela pretendia apenas lhe devolver os presentes e as cartas de amor que recebera dele, seu amargor aumentou ainda mais. Então ocorreu-lhe que poderia haver bisbilhoteiros à espreita e sentiu o coração dilacerado.

– Onde está seu pai? Em casa? Diga-lhe que não saia e que, à noite, mantenha as portas trancadas! E você,

por que não vai para um convento? Por que deseja ter filhos e trazer ao mundo mais pecadores ainda? Imaginar que ela havia conspirado contra ele com seus inimigos! Ele tagarelava, a provocava e admoestava, louco de desespero.

Depois que Hamlet se foi, os bisbilhoteiros saíram do esconderijo, abalados e sem saber o que pensar. Gertrudes mostrava-se aflita. Cláudio sentia-se ameaçado e estava decidido a mandar Hamlet para fora do país assim que possível. Polônio continuava com suas baboseiras, desfiando seu falatório sobre amores desencantados. Ofélia, no entanto, com ar ausente, apenas se entristecia por Hamlet, lamentando que, tão inteligente, ele estivesse entregue à insensatez.

Ah, mente tão nobre assim perturbada...
Ai de mim,
Que vi o que vi e vejo o que vejo!

Ofélia, ATO III, CENA I

Fazendo uma pausa para refletir e raciocinar, Hamlet concluiu ser incapaz de fazer fosse o que fosse. Então, uma chegada inesperada ao palácio o impeliu a agir. Um grupo de atores itinerantes, que visitava Elsinore todos os anos, agitou seu silêncio sufocante, colorindo os pátios cinzentos com suas roupas extravagantes e suas palhaçadas obscenas. Hamlet então teve uma idéia. Chamou de lado o diretor do grupo e o instruiu para encenar diante da família real uma peça especial: *O assassínio de Gonzaga*. Um pequeno acréscimo ao roteiro, um leve ajuste na trama, e ficou pronta a história de um Rei que fora morto num jardim pelo irmão, o qual se apossara da coroa e da Rainha. Naquela mesma noite os atores a representaram. Quando o atroz assassino despejou o veneno no ouvido de Gonzaga adormecido, Cláudio levantou-se do trono, sobressaltado, e saiu do salão, gritando:

– Mais luz! Preciso de mais luz!

Suas mãos se agitavam no ar como se uma rede escura o envolvesse. Hamlet obtivera a prova: Cláudio era culpado.

Com a peça, bem sei,
Captarei a consciência do Rei.

Hamlet, Ato II, Cena I

E Cláudio percebeu que Hamlet sabia do assassínio. Precisava livrar-se dele. O Rei ordenou que o Príncipe fosse colocado a bordo de um navio e mandado imediatamente para a Inglaterra.

Enquanto isso, a Rainha chamou Hamlet a seu quarto para que ele explicasse seu comportamento ultrajante. Eufórico, Hamlet irrompeu nos aposentos da mãe.

– Hamlet, você ofendeu seu pai – disse Gertrudes.
– Mãe, foi você que ofendeu meu pai! – ele replicou.

– Hamlet, lembre com quem está falando!
– Como poderia esquecer? Você é a Rainha, não é? Esposa do irmão de seu marido e, lamentavelmente, minha mãe.

Para ele, a disposição da mãe em se casar com Cláudio era quase tão condenável quanto o assassínio de seu pai. O Príncipe estava tão agitado que Gertrudes temeu por sua própria vida.

– Socorro! – ela berrou.

Uma voz atrás da cortina também gritou. Sem vacilar, Hamlet desembainhou a espada e desferiu-a contra a cortina, para matar Cláudio que lá estava. No entanto, não era Cláudio. Era Polônio, o intrometido Polônio. Hamlet não podia desperdiçar energia lamentando o terrível engano. Continuou admoestando a mãe, com tal convicção que quase a fez aderir a seu ponto de vista. A Rainha estava prestes a se tornar sua aliada quando, erguendo os olhos, o Príncipe voltou a ver o fantasma do pai.

Gertrudes, no entanto, não viu nenhum fantasma mas apenas o ar vazio. Conclui então que o filho perdera completamente a razão.

– O que está fazendo, Hamlet? – gemeu o fantasma. – Por que está aqui? Por acaso o mandei atormentar sua mãe? Pedi que se vingasse dela? Deixe-a! Lembre-se de quem é o verdadeiro vilão! Lembre-se de que prometeu me vingar!

Hamlet tentou fazer a mãe enxergar o fantasma, mas não adiantou. Ele se encheu de remorso por ter desapontado o pai. Agora, no entanto, sua esperança de matar Cláudio se esvaía. Sua espada atravessara o coração errado, matando um inocente, e ele não poderia escapar aos guardas do palácio por muito tempo. Tinha lugar reservado num navio para a Inglaterra. Tudo indicava que a possibilidade de Hamlet se vingar estava perdida.

Cláudio certamente não queria correr nenhum risco. Entregando Hamlet à custódia de pretensos "amigos", escreveu uma carta para que levassem com eles, uma carta lacrada de apresentação ao Rei da Inglaterra. A carta dizia: "Este homem, Hamlet, é inimigo do Estado da Dinamarca. Mate-o."

Mas as intenções de Cláudio foram interceptadas. O navio que levava Hamlet para a Inglaterra foi atacado por piratas. Só o Príncipe foi feito prisioneiro e, mediante pagamento de um resgate, voltou à Dinamarca. Na frente, mandou cartas para Horácio, para sua mãe e, imprudentemente, para o Rei. Voltou mudado, mais calmo e moderado, depois de ter visto os problemas muito maiores do mundo. Na fronteira da Dinamarca, observara vinte mil homens que se preparavam para guerrear por um pedaço de terra que não valia nada. Qual era o peso do destino de Hamlet em comparação com tal insensatez?

A morte de Polônio, no entanto, tivera conseqüências devastadoras. Ofélia, já infeliz por causa da loucura de Hamlet, por sua vez enlouquecera de tristeza. Cantava e distribuía flores a quem as aceitasse, com um sorriso melancólico e insano.

Laertes, filho de Polônio, ao tomar conhecimento de que o pai fora morto, sem saber por quem, voltou à Dinamarca, enfurecido. Encontrou o país à beira da rebelião, aturdido com a morte de Polônio, e conduziu a multidão ao palácio. Com a espada de Laertes encostada na garganta, Cláudio procurava explicar.

– Foi Hamlet quem matou seu pai, não fui eu! – ele disse, ofegante. – Foi Hamlet, aquele louco. Acalme-se. Tenha paciência. Faça o que eu disser e a morte de seu pai será vingada.

Mal acabara de ouvir essas palavras, o pobre Laertes ficou sabendo também da loucura da irmã. Seus olhos encheram-se de lágrimas ao vê-la perambulando pelo palácio, cantando, com as mãos cheias de flores. Pouco depois, Ofélia morreu afogada nas águas de um rio.

À beira de um riacho se debruça um salgueiro
Cujas folhas de prata se refletem na água translúcida;
Prodigiosas guirlandas ela fizera...
... e ela caiu no riacho choroso. Suas roupas se
*   inflaram*
E qual uma sereia a mantiveram à tona;

Enquanto isso cantava antigas canções,
Incapaz de perceber sua própria desgraça.

Gertrudes, Ato IV, Cena VII

De pesar em pesar, Laertes foi levado a uma fúria imensa. Hamlet precisava pagar. Nos funerais de Ofélia, os dois se viram frente a frente. Hamlet passava pelo cemitério por acaso e parou para conversar com um coveiro. Então viu o pequeno cortejo desfilar por entre as lápides. Hamlet conhecia todos aqueles rostos. Viu sua mãe, tomada de tristeza, o Rei e também Laertes! Quem teria morrido? Hamlet só soube quando o corpo estava prestes a descer à sepultura e Laertes se adiantou para dar um último beijo na doce irmã.

– Ofélia não! – gritou Hamlet.

Laertes avançou até ele e os dois se atarracaram dentro do próprio túmulo, suas botas lançando poeira sobre o corpo frágil e esmagando as flores delicadas. Enquanto lutavam, discutiam sobre qual deles tinha maior amor por Ofélia. Finalmente foram apartados. A Rainha se desculpava por Hamlet, invocando sua loucura, e o Rei concordava:

– Ele está louco, Laertes.

Mais tarde, em particular, Cláudio passou a incentivar Laertes a se vingar de Hamlet pelas mortes do pai e da irmã. Mas insistia em que não fosse uma peleja arrebatada, na lama. Deveria ser um ato planejado e premeditado. Cláudio queria ter certeza de que dessa vez a sorte de Hamlet não iria interferir.

Os arautos do Rei alardearam um anúncio. O Rei fizera uma aposta com o jovem Laertes: seis cavalos por seis espadas como o Príncipe Hamlet conseguiria vencer Laertes na esgrima. Um confronto amistoso, simplesmente pela aposta. Seria uma ocasião para as pessoas se distraírem dos últimos tristes acontecimentos.

Embora aceitasse o desafio, Hamlet foi tomado por uma premonição, pelo sentimento de que algo terrível estava para acontecer. Seu amigo Horácio insistia para que desistisse da luta, mas Hamlet descartou suas preocupações. Afinal, seria um combate amistoso, as espadas teriam guardas.

– Aqui está a espada sem guarda – Cláudio sussurrou para Laertes. – Esta deverá ser a escolhida. A ponta foi embebida em veneno, bastará um arranhão para matá-lo.

Para maior garantia, Cláudio também envenenou uma taça de vinho que Hamlet tomaria para se refrescar.

Ao chegar para a partida de esgrima, o Príncipe estava calmo e cortês, desculpando-se sinceramente junto a Laertes por todo o mal que lhe havia causado. Fora-se o homem ressentido, furioso, zangado demais para viver, assustado demais para morrer. Laertes teria pensado duas vezes antes de resolver matar aquele homem, mas Cláudio atiçara nele uma chama intensa de ódio.

Hamlet, no entanto, era excelente espadachim. Venceu o primeiro lance e nem precisou da taça de vinho que Cláudio reservara para ele. Mais uma vez sua espada resvalou em Laertes, e ele estava prestes a vencer a aposta para o Rei. Orgulhosa, a Rainha foi enxugar o suor da testa de Hamlet. Ao descer, levou aos lábios uma taça de vinho:

– Um brinde ao sucesso de meu filho!

– Não, Gertrudes – gritou Cláudio.

Mas era tarde. O vinho que o Rei preparara para Hamlet deslizou pela garganta da Rainha.

Desesperado, Laertes desferiu um golpe contra Hamlet. Sentindo a ponta de uma espada sem guarda, Hamlet voltou-se furioso para o adversário. Desencadeou-se entre eles um combate desenfreado. Suas espadas caíram e eles voltaram a pegá-las. Agora, no entanto, Hamlet empunhava a espada sem guarda e Laertes a outra. O ferimento que o Príncipe infligiu a Laertes era muito mais profundo do que o arranhão em seu braço. O veneno da lâmina foi direto ao coração de Laertes.

Naquele momento, o vinho envenenado fazia efeito sobre a Rainha. Ela cambaleou e foi ao chão.

– Foi a visão do sangue. A Rainha desmaiou! – Cláudio tentava explicar.

Gertrudes no entanto ainda não perdera a fala.

– Foi a bebida! Ah, meu querido Hamlet, fui envenenada! – ela sussurrou.

– Assassino! – gritou Hamlet.

– Você também foi assassinado, Hamlet! – exclamou Laertes, caindo de joelhos. – Não há remédio no mundo que possa salvá-lo. A ponta da espada estava envenenada. Vai matá-lo agora, exatamente como está me matando. Perdoe-me, amigo, assim como eu o perdôo. Foi o Rei. A culpa é do Rei.

Sem parar para pensar, Hamlet enfiou a espada profundamente no peito do Rei e depois fez as últi-

mas gotas de vinho envenenado lhe escorrerem pela garganta. Estava completa a vingança de Hamlet pela morte de seu pai, embora Cláudio tivesse cometido muitos outros crimes depois daquele primeiro assassínio no jardim.

Poucos restaram para contar o que viram naqueles dias terríveis. Os sobreviventes, como Horácio, enxergavam tão pouca coisa de valia no mundo à sua volta que tinham vontade de abandoná-lo. No entanto, moribundo, Hamlet disse a Horácio:

– O mundo precisa de testemunhas para fazer um relato verdadeiro de seus males e de seus méritos. Os mortos não podem testemunhar.

O resto é silêncio.

Hamlet, ATO V, CENA II

A décima segunda noite

Personagens principais da peça

•

VIOLA,
menina náufraga, que depois se disfarça de Cesário

SEBASTIÃO,
seu irmão gêmeo, também náufrago

ANTÔNIO,
capitão do mar, que faz amizade com Sebastião

ORSINO,
Duque da Ilíria

OLÍVIA,
condessa enlutada, amada por Orsino

SIR TOBY BELCH,
seu tio dissoluto

SIR ANDREW AGUECHEEK,
companheiro de *sir* Toby e pretendente
desesperançado de Olívia

MALVÓLIO,
mordomo presunçoso de Olívia

MARIA,
criada de Olívia

VÁRIOS MARINHEIROS, MÚSICOS E EMPREGADOS DOMÉSTICOS

A ação se desenrola depois de um naufrágio na costa da Ilíria.

A décima segunda noite

Ao longo da costa da Ilíria, atual Albânia, as tempestades eram freqüentes: tempestades de raios, de trovões, tempestades de humor e de paixão. Antônio, capitão do navio *Duodecimus*, sabia disso muito bem, pois lutara contra a frota iliriana em alto-mar e era um homem procurado nas imediações. Teria se mantido afastado de lá se uma tempestade não tivesse levado o *Duodecimus* a naufragar próximo a suas praias. Foi um pesadelo: passageiros eram lançados ao mar enquanto o barco se despedaçava à sua volta, as luzes das casas ilirianas piscavam acima das ondas que rebentavam contra os rochedos. Aquela bela menina, Viola, desapareceu e morreu afogada...

— Não recomendo esse lugar, Sebastião — Antônio disse ao irmão gêmeo da menina, que se salvara com ele —, mas, se seu coração está decidido a dar uma olhada, quem sou eu para detê-lo? Vamos. E não se preocupe com sua irmã. Tenho certeza de que ela está salva, em algum lugar, assim como nós.

Sebastião aceitou o consolo. Antônio só lamentava não conseguir acreditar em suas próprias palavras. – Tome. Aqui está meu dinheiro. Você não pode ir a nenhum lugar sem algumas moedas para gastar – e ele colocou na mão de Sebastião tudo o que tinha.

Freqüentemente as amizades mais calorosas surgem de uma calamidade.

De fato, Antônio se enganava ao pensar que Viola estivesse morta. Apesar de suas amplas roupas femininas e da violência das ondas, ela chegara à terra. Assim como todos imaginavam que estivesse morta, também ela imaginava que os outros passageiros tivessem se afogado, inclusive seu querido irmão Sebastião. Agora se encontrava sozinha, numa praia estranha do Mediterrâneo. Não era lugar para a filha refinada de um nobre. Assim, Viola decidiu vestir-se como um rapaz, deu a si mesma o nome de Cesário e foi procurar trabalho como pajem na mansão do Duque Orsino, governador de Ilíria.

Havia pelo menos duas casas enormes no topo do rochedo que dava vista para o mar. Uma pertencia ao Duque Orsino. Outra, vizinha, era a casa de *lady* Olívia. Conforme Viola logo descobriu, Orsino era apaixonado por Olívia, apaixonado pela idéia de Olívia, mas, acima de tudo, apaixonado pela própria paixão. Ele se deleitava com aquela doce angústia, pois Olívia não o incentivava de modo nenhum. Pelo contrário, ela jurara guardar luto por sete anos, em trágica solidão, pela morte do irmão.

Persistente, a primeira tarefa que o Duque deu a Viola (ou melhor, Cesário) foi a de visitar Olívia com um punhado de versos para despejar em seus ouvidos. Viola não queria ir. Não queria que o Duque amasse Olívia. Para seu dissabor, descobriu que ela própria estava apaixonada pelo Duque! Mesmo assim, não pôde recusar-se a ir à mansão de Olívia. E lá encontrou muita coisa estranha!

Não era fácil guardar luto em trágica solidão naquele lugar, com Orsino mandando provas de amor a cada hora do dia e todos aqueles empregados domésticos se agitando pela casa e pelo jardim. O tio de Olívia, *sir* Toby Belch, morava com ela, e não era muito dado à trágica solidão. De fato, se visse a solidão pela frente, decerto lhe daria uma pancada na cabeça, a enrolaria no guardanapo, pegaria uma faca e a devoraria, regando-a com um bom vinho antes de cair adormecido com o rosto enfiado nela. As opiniões sobre aquele homem eram variadas: Olívia gostava dele, de modo um tanto desesperançado; Maria, a criada, o adorava; e Malvólio, o mordomo, o detestava. O visitante *sir* Andrew Aguecheek o venerava (a não ser, é claro, quando *sir* Toby caía de bêbado e *sir* Andrew tropeçava por cima dele). *Sir* Andrew tinha pretensões de se casar com Olívia. *Sir* Toby incutira nele esse desejo para extrair todo o dinheiro de *sir* Andrew com o pretexto de ajudá-lo a conquistar a sobrinha. Seria de dar pena ver *sir* Andrew sendo enganado e despojado de todo o seu ouro, não fosse sua vaidade despropositada. *Sir* Andrew só parecia não ser tão ruim quando comparado com o pomposo Malvólio, o lúgubre mordomo.

Como dona daquela casa, *lady* Olívia se destacava como um cisne entre patos. Viola ficou imediatamente fascinada por sua beleza, mas, infelizmente, não tão fascinada quanto Olívia por "Cesário". Assim que o viu, *lady* Olívia vacilou em sua resolução de viver triste e sozinha.

– Diga a Orsino que nunca poderei corresponder a seu amor – ela disse. – Diga-lhe que não se dê mais ao trabalho de mandar mensageiros... a não ser, talvez, você.

Se eu a amasse com a chama de meu patrão,
Com tal sofrimento, tal intensidade,
Em sua recusa não veria sentido,
Não conseguiria entendê-la

Viola, ATO I, CENA V

Dividida entre a alegria e o pesar de saber que Orsino jamais conquistaria sua amada Olívia, Viola se foi. Mas, antes que chegasse ao portão, Malvólio a alcançou:
– Minha patroa mandou entregar seu anel. Ela não o quer. Não ficará com ele. Mandou devolvê-lo – e ele jogou um anel no chão.
– Mas eu nunca lhe dei anel nenhum! Ah, essa não!
A terrível verdade abateu-se sobre Viola. Lady Olívia estava apaixonada por ela! Coitada!

Pobre senhora, melhor seria apaixonar-se por um sonho.

Viola, ATO II, CENA II

Era como se todos em Ilíria estivessem fadados a um amor não correspondido: *sir* Andrew, o Duque, Olívia e a própria Viola. E logo até Malvólio se acrescentaria ao grupo dos corações-dilacerados.

Malvólio atormentava a vida de todos. Acuava os criados como se fosse senhor e patrão. Passava sermões e pontificava. Xingava e ameaçava. Desaprovava alto e bom som *sir* Toby e *sir* Andrew. Certa vez, quando entraram aos trambolhões às duas da manhã, ofegando e cambaleando, cacarejando como galos e fazendo gracejos obscenos em voz alta, Malvólio desceu as escadas e chamou-lhes a atenção, desfiando um rosário de injúrias.

Sir Toby lançou-lhe na cara:

— Você pensa, mesmo, que só porque você é virtuoso o resto do mundo vai deixar de se divertir?

Malvólio virou as costas, jurando contar tudo à patroa, e subiu as escadas sob risos e gargalhadas. Mas seu sermão estragara a alegria da noite. O arrogante Malvólio estava para cair de maduro. E, se alguém podia ajudar com um empurrãozinho, esse alguém era Maria, a criada.

No dia seguinte, Malvólio viu no chão um bilhete escrito à mão, com uma letra muito parecida com a de *lady* Olívia. Certamente era uma carta de amor! Quem a escrevera declarava-se a um admirador secreto, em código: *embora seja de um nível inferior ao meu... M – O – A – I, estas letras dominam meu coração!*

— Todas essas letras pertencem a meu nome! — exclamou Malvólio. — A patroa está apaixonada por mim! E por que não? Eu sempre soube que estava destinado a grandes coisas: riqueza, glória... Agora, deixe-me ver. O que devo fazer para mostrar que a entendi? Ah, está escrito: calçar meias amarelas, é isso. E jarreteiras, é isso...

Ele continuou lendo, escolhendo no que acreditar, ignorando as risadinhas por trás da sebe e a possibilidade de que alguém estivesse lhe pregando uma peça.

Lembra quem te recomenda meias amarelas,
e deseja que sempre estejam com jarreteiras.

Malvólio, ATO II, CENA V

Enquanto isso, Viola fazia o possível para persuadir o Duque de que seus galanteios não dariam resultado, para convencê-lo a desistir, a procurar outro amor. Mas Orsino não dava sinal de renunciar. Não fosse sua teimosia, seria de dar pena. O Duque mandou-a de volta, como um carneiro para o matadouro, aos braços abertos e olhos adoráveis de Olívia.

De véu preto e suspirando, Olívia andava por seu jardim, num turbilhão de emoções. Mais ainda seu espírito se conturbou quando, de repente, Malvólio surgiu de trás de um arbusto, como um pavão, com ligas vermelhas prendendo berrantes meias amarelas. Diante dela, ele tirou o chapéu, sorrindo como um maluco, murmurando absurdos sobre cartas, grandeza e obediência.

> *Não tenhas medo da grandeza...*
> *Alguns nasceram grandiosos...*
> *Outros alcançam a grandeza...*
> *A outros ainda a grandeza se impõe.*
>
> Malvólio, Ato III, Cena IV

Assustada com aquele aparente colapso mental, Olívia chamou os criados para cuidarem dele. E foi isso que eles fizeram, prontamente. Olívia não percebeu a satisfação com que afastaram Malvólio nem para onde o levaram. Suas preocupações eram outras.

Viola deveria ter contado antes que era mulher. Havia esperado demais. Se dissesse alguma coisa agora, Olívia ficaria muito humilhada. Sempre que a encontrava, "Cesário" fazia o possível para explicar que não podia corresponder ao amor da senhora,

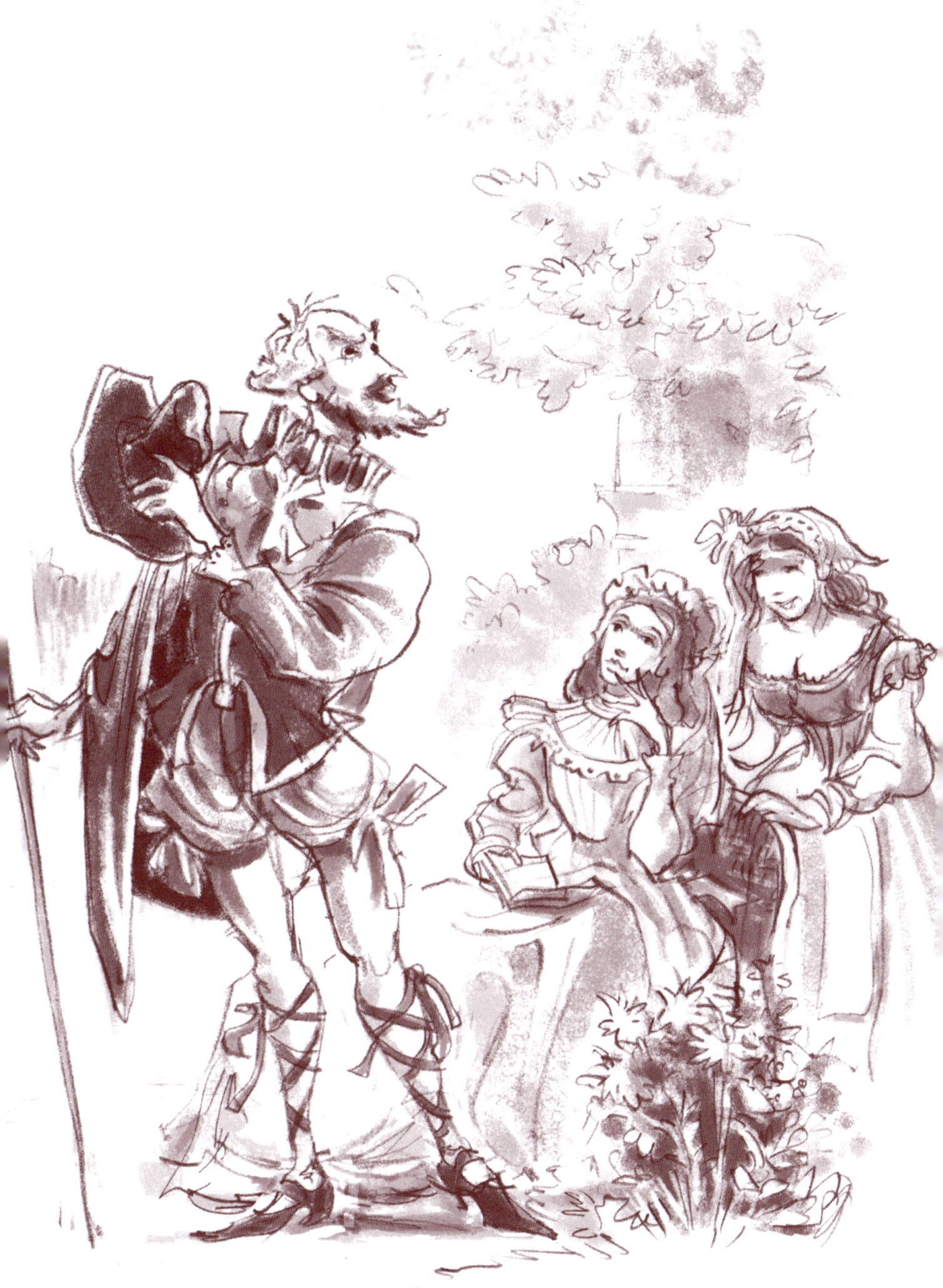

mas ela não ouvia, não queria ouvir. A situação estava se complicando. Olívia se apaixonava cada vez mais. "Cesário" evitava seus olhares suplicantes, desviava-se de seus braços estendidos.

– Não sei por que ainda insisto – dizia *sir* Andrew Aguecheek. – Olívia parece mais interessada naquele mensageiro do que em mim.

– Ora, então desafie o rapaz para um duelo! – *sir* Toby acabou sugerindo, prevendo momentos divertidos. – Vou convocá-lo.

E, antes que pudesse pensar numa desculpa, *sir* Andrew viu-se comprometido a uma luta de espadas com seu rival, "Cesário".

– Lutar contra mim? – exclamou Viola, quando *sir* Toby a convocou para o duelo. – Ora, nunca fiz nenhum mal a ele. De qualquer modo, por favor, peça-lhe que me desculpe.

– Só ficará satisfeito com sangue – mentiu *sir* Toby. – *Sir* Andrew é um grande espadachim.

– Diga-lhe que não vou lutar – replicou Viola. – Não sou suficientemente homem.

– O rapaz está esperando ansiosamente – *sir* Toby foi dizer a *sir* Andrew. – Disse que vai despedaçá-lo!

– Oh, misericórdia! Céus! Quer dizer que ele quer lutar?

– Exatamente. Ouvi dizer que matou uma dúzia de homens desse jeito.

Toby Belch insistia em incitar os dois inocentes, convencendo-os de que deviam duelar. Ambos estavam apavorados, portanto não havia grande perigo de que algum deles saísse ferido. Seria uma brincadeira inofensiva.

Viola não sabia se estava diante de um covarde ou de um assassino. Apenas tentava desviar-se daqueles olhos inflamados, daquela espada em riste. Então, de repente, um desconhecido se adiantou e ofereceu-se para lutar em seu lugar. Viola nunca o vira antes, no entanto lá estava ele, disposto a dar a vida por ela. Felizmente, não houve tempo para isso, pois a milícia local chegou e o prendeu, dizendo tratar-se de um pirata.

– Sinto muito, mas vou precisar do dinheiro que lhe emprestei – o estranho disse a Viola.

– Que dinheiro? Nunca o vi antes… Claro, vou lhe dar o que puder, mas…

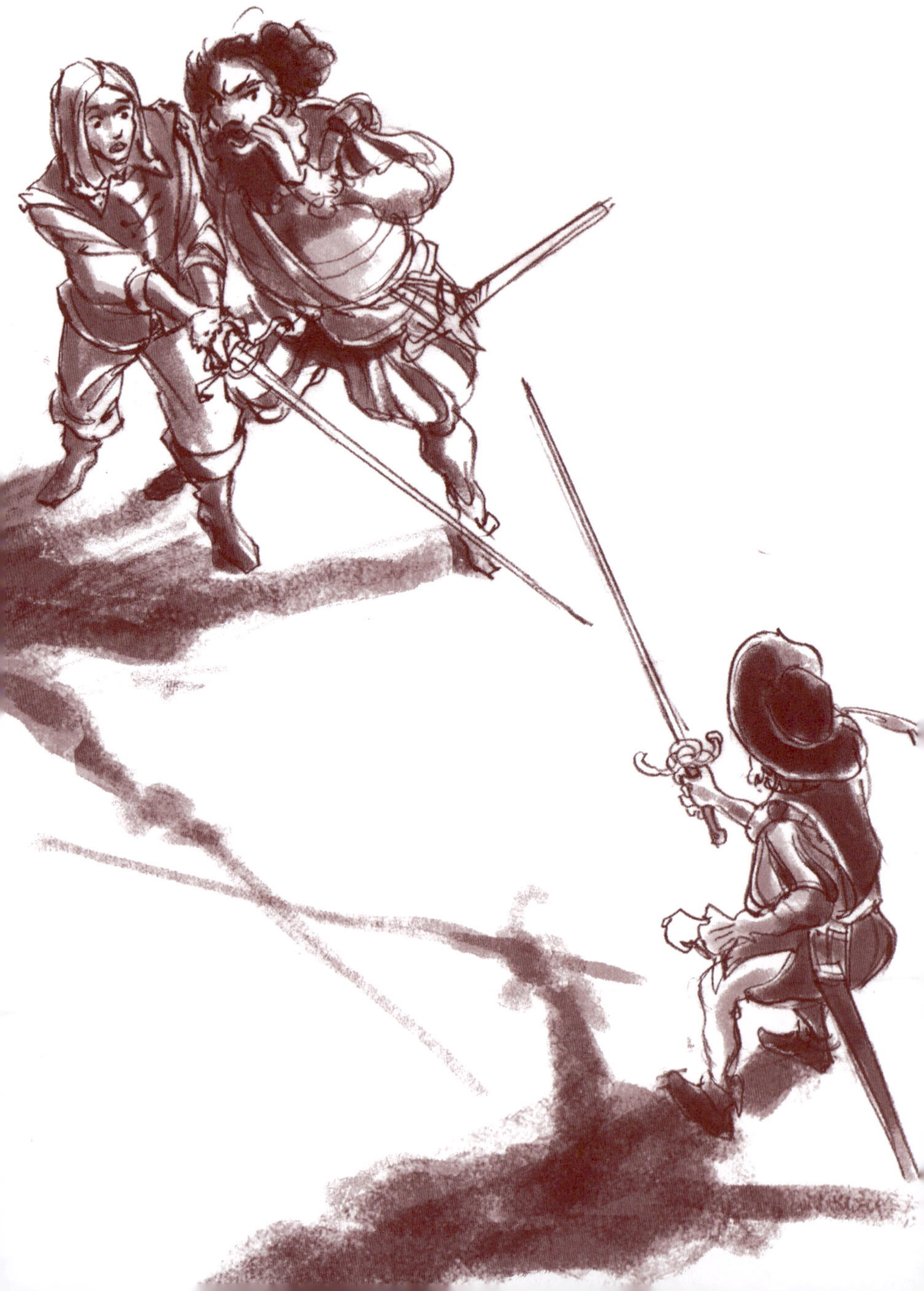

Enquanto era arrastado pelos oficiais, o estranho, com ar ofendido, dizia-se insultado pela pessoa em cuja defesa ele desembainhara a espada. Assim que os oficiais se foram, *sir* Andrew, instigado por *sir* Toby, saiu em perseguição de seu rival, satisfeito por ver que "Cesário" não representava nenhuma ameaça.

Enquanto isso, perto dali, *lady* Olívia, que saía à procura de seu amado "Cesário", encontrou-o passando diante do portão. Ela sorriu e olhou para ele com tal adoração que "Cesário" aceitou ser levado para dentro.

No entanto, não se tratava de "Cesário". Aquele rapaz era Sebastião, irmão gêmeo de Viola. Sem saber que seu companheiro Antônio fora preso nem que sua irmã estava envolvida numa série de mal-entendidos, jamais um rapaz mais aturdido pusera os pés em Ilíria.

Malvólio, por sua vez, preso num quarto escuro e tratado como louco, batia a cabeça contra a parede, vociferava e uivava como um cão acorrentado. As jarreteiras vermelhas que prendiam suas meias amarelas bloqueavam-lhe a circulação dos pés. Pela manhã, esperanças e sonhos o tinham abandonado. Humilhado, encarcerado, dolorido, ele mesmo estava quase convencido de que enlouquecera. Não havia outra explicação para a carta de amor, para a brutalidade com que era tratado e para as vozes de despeito que se ouviam na janela.

Sebastião saiu da casa de Olívia ainda confuso, mas comprometido por casamento. Era uma pena seu amigo Antônio não estar por perto para que pudesse contar como aquela mulher absolutamente deliciosa lhe oferecera seu amor eterno e quase lhe implorara para se casar com ela. Olívia tinha tudo: dinheiro, beleza, posição social elevada. E, embora nunca a tivesse visto antes, era como se estivesse destinado a se casar com ela. Quem era ele para se opor ao destino? Quem dera sua irmã estivesse viva para ver aquilo!

Foi no julgamento de Antônio, capitão do naufragado *Duodecimus*, que tudo se esclareceu. O capitão foi levado à presença de Orsino, no centro da cidade, sob acusação de pirataria, que ele negava veementemente. Viola lá estava, ao lado do Duque, desempenhando o papel de "Cesário". Ao vê-la, o capitão começou a esbravejar, chamando-a de traidor ingrato.

— Eu resgatei esse rapaz do mar e salvei-lhe a vida! Cuidei dele e o protegi durante os últimos três meses! Agora, quando venho ajudá-lo, pondo-me em perigo, como todos estão vendo, ele se recusa até a me reconhecer!

— Mas este rapaz está me prestando serviço há três meses — disse o Duque. — Portanto, você deve estar mentindo...

Houve uma agitação, um farfalhar de seda, e lady Olívia, que abandonara o luto, chegou saltitante em meio às sombras da tarde. Ao vê-la, Orsino perdeu o controle. O fato de ela rejeitar seu amor e sua evidente paixão por "Cesário" o enfureciam.

— Deus sabe que eu gostava desse rapaz — ele gritou, agarrando Viola pelo pescoço. — Mas agora está claro que é ele que você ama mais que tudo no mundo. Por que então não o mato aqui e agora, para atingi-la?

Orsino não faria aquilo, claro, mas Viola quase lamentou ele a ter largado e saído. De bom grado morreria por seu amado Duque.

— Aonde vai, Cesário querido? — perguntou Olívia.

— Atrás de meu amado Orsino, a quem sempre amarei mais que a tudo no mundo — disse Viola, candidamente.

Então foi Olívia que se enfureceu.

– O quê? Você o ama mais do que a mim? Esqueceu-se tão depressa de seu compromisso? É assim que um marido trata a mulher? – ela soluçou.

– Marido?

Até o padre veio para comprovar: Olívia acabara de se casar com "Cesário". Com a notícia o Duque novamente se pôs a gritar. Viola, agora, via-se atacada por um Duque ciumento e por uma "esposa" ofendida.

Nesse momento, *sir* Andrew e *sir* Toby chegaram, com as mãos na cabeça e gritando.

– Ele nos bateu! Ele nos machucou! Foi Cesário! Ele nos fez pensar que era um covarde, mas sempre foi um bruto...

– Cesário?

Todos os olhares se voltaram para Viola, que tentou negar, jurando que nunca na vida fizera mal a ninguém. O pior teria acontecido, se um outro personagem não tivesse aparecido. Era Sebastião.

– Desculpe, querida, acho que machuquei gente que mora na sua casa – o recém-chegado disse a Olívia, enfiando na bainha uma espada ensangüentada. – Mas, acredite, eu fui provocado.

Todos olharam para Sebastião.
Todos olharam para Viola.
Os olhares se deslocavam de um lado para o outro.

Um rosto, uma voz, um traje e duas pessoas

Orsino, ATO V, CENA I

Viola olhou admirada para seu irmão gêmeo, e ele olhou para ela.

– Todo o tempo havia dois deles – disse *sir* Andrew, esfregando a cabeça machucada.

– Então, quando você dizia que me amava... – disse Orsino.

– Eu estava dizendo a verdade – disse Viola. E então o Duque compreendeu por que sempre tinha a impressão de que seu mensageiro o olhava com tanta intensidade.

Dá-me tua mão
E deixa-me ver-te com teus trajes de mulher.

Orsino, ATO V, CENA I

Ao perceber o erro que cometera, *lady* Olívia não teve vontade de desfazê-lo. E Sebastião certamente também não. Era como se tivesse mergulhado num sonho com uma irmã morta e uma nova esposa e não quisesse acordar.

Malvólio emergiu de sua cela subterrânea como de um pesadelo. Todos riram ao vê-lo sujo e desgrenhado, tremendo de raiva até os cabelos e com as meias amarelas soltas, balançando.
— Eu me vingarei de todos vocês! — ele berrou, fazendo-os rir ainda mais.
Seria de dar pena, não fosse sua arrogância ridícula. Não, nada disso. Por maiores que fossem seus erros, era impossível não ter pena. Quase impossível.

Não vamos nos separar. Cesário, vem,
É esse teu nome de homem.
Mas quando vestires roupas de menina
Serás de Orsino esposa e Rainha.

Orsino, Ato V, Cena I

Otelo

Personagens principais da peça

OTELO,
nobre mouro, general em Veneza

DESDÊMONA,
mulher de Otelo

BRABÂNCIO,
senador, pai de Desdêmona

DUQUE DE VENEZA

IAGO,
ajudante-de-ordens de Otelo,
ciumento e intrigante

EMÍLIA,
mulher de Iago

CÁSSIO,
belo tenente de Otelo

BIANCA,
amante de Cássio em Chipre

RODRIGO,
cavalheiro veneziano, apaixonado
por Desdêmona

VÁRIOS SENADORES, MARINHEIROS,
SOLDADOS E CAVALHEIROS

*A ação se inicia em Veneza e continua
num porto marítimo da ilha de Chipre.*

Otelo

O nome Otelo estava em todas as bocas. Otelo era o herói das guerras, líder dos homens, general e diplomata, orgulho de Veneza. O parlamento veneziano lhe era infinitamente grato.

Aquela noite o Duque de Veneza estava reunido em conselho. Todos tentavam acalmar o velho senador Brabâncio, que esbravejava contra Otelo.

– Ele se casou com minha filha, vocês não entendem? Aquele homem a enfeitiçou! Com certeza usou alguma poção mágica para convencer minha Desdêmona!

– Ora, pensávamos que Otelo fosse seu amigo! – contestou um senador.

– E é. Quer dizer, era. Você deixaria uma filha sua casar-se com ele? Com um mouro? E além do mais ele tem idade para ser pai dela! Melhor seria se ela fosse de Rodrigo, aquele tolo!

Para Brabâncio, que amava Desdêmona mais do que tudo no mundo, fora um golpe saber que a filha se casara sem sua permissão. Estava certo de que Otelo a tinha enfeitiçado.

Suas queixas estavam impedindo o parlamento de tratar de um assunto muito grave. No entanto, era preciso dar-lhes atenção. Quando Otelo chegou, foi logo interpelado.

– O que tem a dizer, Otelo, sobre a acusação de que usou de feitiçaria para seduzir Desdêmona?

– Alguém acha que uma moça comportada e gentil como Desdêmona escolheria se casar com ele? – acrescentou ainda Brabâncio.

– Perguntem a ela. Mandem chamá-la – respondeu Otelo, tranqüilamente. – Se ela disser que se casou comigo contra sua vontade, aceitarei morrer por esse crime. Sou apenas um soldado. Não sou hábil no uso das palavras. A única coisa que posso lhes dizer é como surgiu nosso amor. Meu amigo Brabâncio, aqui presente, sempre me convidava para ir à sua casa. Comecei a contar minhas antigas campanhas e aventuras: naufrágios e cercos, cavalos atacando em meio à fumaça da batalha, bandeiras e rostos gloriosos, coisas desse tipo. Desdêmona se aproximava sorrateira como um camundongo, sentava-se e ficava ouvindo. Às vezes ela suspirava, ofegava e ria, às vezes até chorava com as histórias que eu contava. Um dia, então, ela me sussurrou que, se eu tivesse um amigo igual a mim que a amasse, deveria ensinar-lhe minha história. Tomei isso como um sinal. Admiti que a amava. Foi essa, cavalheiros, a feitiçaria utilizada.

Ela me amava pelos perigos que eu correra...
Foi a única feitiçaria que usei

Otelo, ATO I, CENA III

— Mentiroso — gritou Brabâncio.
Desdêmona então chegou e respondeu às acusações do pai com a mesma tranqüilidade e compostura de Otelo.
— Até hoje, pai, dediquei ao senhor todo o meu amor, assim como obediência e respeito. Mas este é meu marido e, agora que estamos casados, minha vida pertence em primeiro lugar e acima de tudo a ele.
Brabâncio ergueu as mãos em desespero. Naquele momento, todo o seu amargor voltou-se contra a filha.

Olha para ela, Mouro, se tens olhos para ver.
Enganou o pai, fará o mesmo a ti.

Brabâncio, ATO I, CENA III

Os senadores de Veneza sorriam, aprovando o casal, contentes por se ter resolvido a questão. Na verdade, tinham um assunto mais grave a tratar. A frota turca avançava para a ilha de Chipre. Para uma cidade como Veneza, que dependia da navegação para sobreviver, seria um desastre se o inimigo se apoderasse daquele ponto estratégico, pois de lá teria controle sobre todo o mar Mediterrâneo. Otelo precisaria rumar para Chipre imediatamente, aquela mesma noite, levando reforço à ilha.

– Deixem-me ir com ele – disse Desdêmona. – Esta seria nossa noite de núpcias. Se Otelo partir para Chipre, como suportarei ficar em Veneza sem ele?

No íntimo os senadores viam com certa aversão o fato de uma moça branca se casar com um mouro. Mas, ao se tratar de lutar numa guerra, que diferença fazia a cor do general?

– Como quiser – disseram os senadores, debruçados sobre seus mapas. Suas preocupações voltavam-se agora para assuntos mais sérios.

Além de Brabâncio, outra pessoa sentia o coração amargurado por causa daquele casamento: Rodrigo, o mais tolo dos cavalheiros a embarcar aquele dia no na-

vio para Chipre. Durante meses ele assediara, enlevado, a bela Desdêmona, e acabara perdendo-a para Otelo.
— Você não a perdeu coisa nenhuma, homem. É só uma questão de tempo. Arranje muito dinheiro. Ela acabará se cansando de ver aquela cara feia a seu lado, na cama — disse Iago ao amigo Rodrigo. — Confie em mim. Logo conseguirei fazer Desdêmona recebê-lo em seus braços. Você vai ver.
Confiar em Iago? Por que não? Todos confiavam naquele rapaz honesto.

Farei
O Mouro me agradecer, me estimar e me recompensar
Por fazer dele notoriamente um asno,
E atormentar sua paz e tranqüilidade
Até levá-lo à loucura.

Iago, Ato II, Cena I

O próprio Otelo não desconfiava que, às suas costas, Iago o injuriava, o abominava, acusava-o de mil erros imaginários e tramava sua derrocada. Sendo um homem simples e virtuoso, Otelo confiava em Iago e não podia imaginar o quanto havia de maldade em seu cérebro.

Rodrigo também confiava em Iago. Para Iago, no entanto, o pobre Rodrigo significava apenas uma fonte de dinheiro fácil. Iago o fazia de bobo e o iludia o tempo todo, sem a menor intenção de ajudar o rapaz a conquistar Desdêmona. Apenas gostava de usar as pessoas em seu próprio proveito. Assim, ele tinha planos semelhantes com relação a Cássio.

Iago detestava o tenente Cássio, de belo rosto e maneiras elegantes. Promovido a superior de Iago, Cássio nunca o considerara amigo. Também estava meio triste com o casamento de Desdêmona, pois a achava uma "jóia encantadora", como sempre dizia. Porém consolou-se mais facilmente do que Rodrigo, pois era cobiçado por muitas outras moças venezianas.

Uma tempestade fortuita dispersou a armada turca. Por algumas horas de incerteza, também Otelo parecia ter-se perdido no mar. Mas, apesar dos danos sofridos, a frota veneziana finalmente aportou em Chipre. Os habitantes da ilha estavam aterrorizados, precisavam sentir-se seguros. A tarefa mais urgente de Otelo era devolver-lhes a calma.

Iago sabia disso quando encontrou Cássio embriagado. Cássio não tinha muita resistência à bebida. Um ou dois copos eram suficientes para torná-lo agressivo e briguento. Foi fácil para Iago persuadir o ingênuo Rodrigo a provocar briga com ele. No meio da rua, os dois se pegaram aos socos. O barulho despertou a cidade inteira, e Otelo chegou correndo, empunhando a espada.

– O que significa isso? Briga de bêbados em plena rua? Cássio, você é um bom amigo mas, depois disso, já não o quero como meu oficial. Não posso confiar num beberrão.

Cássio ficou arrasado. Sua carreira terminara, sua reputação desmoronara. Ele chorou no primeiro ombro que se ofereceu a ele: o de Iago.

Reputação, reputação, reputação! Oh, perdi minha reputação! Perdi a parte imortal de mim mesmo, e o que restou é bestial! Minha reputação, Iago, minha reputação!

Cássio, Ato II, Cena II

– Foi só isso? Ora, não foi uma grande perda – ironizou Iago. – No entanto, se você quer de fato seu cargo de volta, por que não pede ajuda a Desdêmona? Otelo não lhe recusa nada, e ela certamente estará disposta a ajudar um amigo em apuros.

– Tem razão, é isso que vou fazer. Vou pedir à encantadora Desdêmona que interceda por mim junto a Otelo. Você é um bom amigo, Iago!

Iago deu um sorriso maldoso e enganador. Tudo estava acontecendo conforme planejara. Agora só faltava arrastar Otelo para casa no momento certo. E foi o que ele fez. Os dois chegaram exatamente no momento em que Cássio se afastava de Desdêmona.

– Não era Cássio falando com minha esposa? – perguntou Otelo, como que por acaso.

– Não, claro que não! Por que ele sairia sorrateiramente, com ar de culpa, ao ver você?

Como um jardineiro introduzindo uma semente em terra fértil, Iago plantava no cérebro de Otelo uma primeira pequena semente de suspeita, um minúsculo germe de angústia.

Desdêmona cumprimentou Otelo com entusiasmo, com muitos agrados e sorrisos, pedindo-lhe que concedesse um favor a um amigo que acabava de sair. O favor era readmitir Cássio. Otelo acabou cedendo à insistência da mulher e pediu-lhe que se retirasse, pois desejava ficar sozinho.

A expressão de Iago, seu olhar de reprovação, sugeriam que algo não estava muito certo. Irritado,

Otelo pediu-lhe que falasse abertamente o que estava pensando. Iago apenas franziu a testa e garantiu que não havia motivo para se preocupar. Ele jogava como se Otelo fosse um peixe no anzol, puxando e depois afrouxando a linha. Dizia que não ousava dizer o que lhe ia na mente. E se estivesse enganado? Dava a impressão de que detestaria falar mal do amigo Cássio. No entanto, levava Otelo a distorcer a verdade.

Ah, senhor, cuidado com o ciúme.
É o monstro de olhos verdes que zomba
Da carne de que se nutre.

Iago, ATO III, CENA III

De início, Otelo negou-se a acreditar que sua mulher pudesse ter feito algum mal. O fato de ser bela não significava que fosse desleal. De modo nenhum! No entanto, sempre que lhe falava, ela o atormentava pedindo por Cássio, insistindo em que lhe devolvesse o posto. Otelo se recusava a crer que houvesse algum pecado escondido por trás de tanta beleza. No entanto, lembrava-se das palavras de Iago: "Não se esqueça de que ela enganou o pai ao fugir com você." Se Desdêmona tivesse um amante, Otelo preferiria

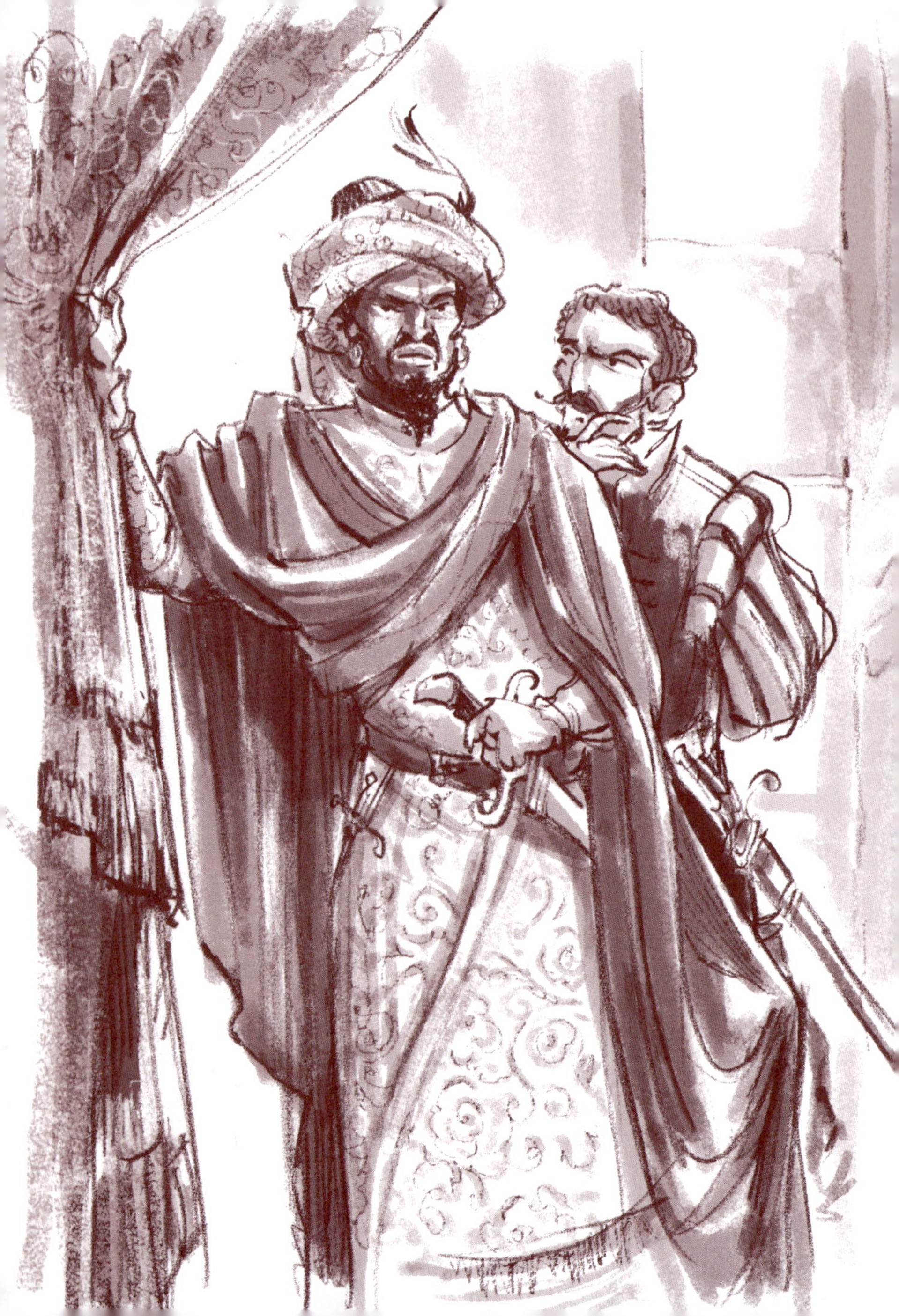

expulsá-la a dividi-la com outro homem. No entanto, ao vê-la aproximar-se com sua acompanhante, Emília, todas as suas suspeitas se foram, levadas por uma onda de ternura.

Otelo tomou a mão da esposa. Mas sua mão parecia quente. Seria por ter segurado a mão de outro homem? Cheia de tantos pensamentos, suspeitas e temores, a cabeça de Otelo doía. Desdêmona tentou envolvê-la com seu lenço, mas Otelo a repeliu e o lenço caiu no chão. Seu bordado vermelho, que brilhava como sangue, chamou a atenção de Emília, mulher de Iago, que o recolheu.

Quando Emília estendeu o lenço para Iago, o marido o arrancou de suas mãos, triunfante. Várias vezes pedira à mulher que o roubasse, mas ela se recusara. Agora só o entregara num triste esforço para agradar a um marido duro e ríspido. Imediatamente a moça se arrependeu do que fizera.

– Você está planejando alguma maldade, não é? – perguntou Emília, temerosa. – Devolva-o. Minha patroa ficará zangada se não o encontrar. Foi o primeiro presente que Otelo lhe deu.

Mas Iago escondeu o lenço por dentro do casaco. Aquela seria a prova da infidelidade de Desdêmona.

– Você viu Cássio limpar a boca com o lenço dela?
– exclamou Otelo.

A expressão de Otelo era só dor. Estava com a alma dilacerada, corroída por dúvidas e incertezas, provocadas pelas mentiras de Iago. Ele maldisse Iago e o sacudiu, por ter ousado difamar Desdêmona, no entanto pediu-lhe que lhe desse provas da deslealdade de Desdêmona.

– Às vezes me censuro por ser honesto demais. Mas se deseja ver a prova com seus próprios olhos...
– disse Iago, mordendo os lábios.

O rapaz levou Otelo até um esconderijo. Depois de alguns instantes, Iago se afastou e puxou conversa com Cássio, que ia passando. Perguntou-lhe sobre sua última conquista, uma cipriota, incitando-o a fazer gestos obscenos e expressões de deboche. De onde estava, Otelo podia vê-los, mas não ouvia o que diziam. Então a mulher em questão se aproximou, agitando o tal lenço de um lado para o outro. Escondido, Otelo se contorcia, humilhado, e engolia seco ao pensar que Desdêmona dera aquele sinal de amor para Cássio, que por sua vez o passara adiante, para outra amante.

Foi como se uma montanha imensa e imóvel, no meio de uma paisagem tempestuosa, de repente entrasse em erupção. Ora, a nobre tranqüilidade de Otelo encobria um tumulto de emoções contidas. Naquele momento, irrompeu uma paixão indomável, vertendo como lava incandescente, ameaçando destruir o mundo à sua volta. O cristianismo que ele adotara com a cidadania veneziana desmoronou e ele começou a clamar pelos deuses pagãos. Ajoelhou-se, jurando vingança. Também de joelhos, Iago jurou ajudá-lo.

Levanta, funesta vingança, do inferno profundo.
Amor, entrega tua coroa e teu meigo trono
Ao ódio tirano!

Otelo, ATO III, CENA III

– Em três dias quero ficar sabendo que Cássio morreu. Você é meu novo tenente – disse Otelo.
– Pode considerá-lo morto – replicou Iago, pesaroso. – Mas, senhor, ela viverá, não é?
– Maldita! Maldita! Ajude-me a pensar num modo de matar essa bruxa!
O plano de Iago aproximava-se de sua conclusão triunfal. Já sabia que tirara de Otelo o sono, a sanidade e a reputação. Dignos senhores tinham visto o

mouro insultar a esposa e até espancá-la em público, sem nenhuma explicação. Também xingara Emília, acusando-a de ter ajudado o amante de Desdêmona a ir e vir. Emília percebeu que Otelo estava sendo vítima das intrigas de alguém, mas em nenhum momento suspeitou do marido.

Almas ciumentas não aceitam explicação;
Não têm ciúme por alguma causa,
Têm ciúme por serem ciumentas.

Emília, ATO III, CENA IV

A armadilha de Iago estendeu-se para envolver o odiado Cássio, e também Rodrigo, que se tornara um estorvo. Incitando o ciúme de Rodrigo, Iago convenceu-o a armar uma emboscada para Cássio, numa noite escura, de espada em punho.

Foi uma empreitada desastrada. Rodrigo golpeou Cássio, que não se feriu por estar vestindo um casaco grosso. Cássio, por sua vez, atingiu Rodrigo. Iago aproximou-se sorrateiramente e, sem ser visto, feriu as pernas de Cássio e fugiu. O barulho dos dois feridos chamou a atenção e as pessoas acudiram correndo. Iago voltou a se aproximar. Não podia deixar que

Rodrigo vivesse e contasse o que sabia. Fingiu espanto e indignação ao ver Cássio ferido.

– Foram dois homens que me atacaram. Um deles fugiu mas o outro está aí, caído – disse Cássio.

– Vilão, assassino! – Iago gritou para Rodrigo e o apunhalou.

– Iago, cão desumano! – foram as últimas palavras de Rodrigo.

Por outro lado, na residência de Otelo, Desdêmona confiava sua infelicidade a Emília. Não conseguia entender o que estava acontecendo. Fora achincalhada e ofendida pelo marido. Não tinha nem coragem de repetir as palavras que Otelo lhe dissera. As visões que Desdêmona e Emília tinham do amor eram bem diferentes, pois eram casadas com homens bem diferentes. Para Desdêmona, o amor era feito de pureza e fidelidade ao homem amado. Otelo se transformara, e ela estava apavorada. Finalmente, chorando, pediu a Emília que se retirasse.

Desdêmona acabou adormecendo. Depois de um tempo, Otelo entrou sorrateiro, cheio de rancor por tudo o que ouvira contar de sua mulher, disposto a fazer justiça. Ao ver o rosto pálido de Desdêmona, hesitou. Chegou até a se curvar para beijá-la. Foi então que ela acordou, e sua expressão assustada voltou a incitar a violência de Otelo. Enfurecido, exigiu que ela confessasse sua deslealdade, mas tudo o que Desdêmona tinha a dizer era a verdade:

— Nunca amei Cássio! Nunca lhe dei lenço nenhum. Mande chamá-lo e pergunte!

Otelo, no entanto, achava que já tinha ouvido demais e não lhe restava dúvida nenhuma de que fora traído.

— Não posso mandar chamá-lo, pois está morto — ele disse.

Desdêmona se pôs a chorar. Louco de ciúme, ele a asfixiou.

Não derramarei seu sangue
Nem marcarei tua pele mais branca que a neve
E lisa como enorme alabastro.
Mas precisas morrer antes que traias outros homens.
Apagarei a luz e, depois, apagarei a luz.

Otelo, Ato V, Cena II

Nesse momento, Emília bateu à porta, e Otelo acabou abrindo antes que Desdêmona desse o último

suspiro. Em vão, a moça ainda tentou reanimar a patroa, mas conseguiu apenas ouvir suas últimas palavras, inocentando o marido:
— Fui eu que tirei minha própria vida.

Em seguida, Emília crivou Otelo de perguntas e, aos poucos, foi conseguindo arrancar-lhe tudo o que Iago dissera sobre a infidelidade de Desdêmona.
— Foi meu marido que lhe contou? Iago? Que sua alma apodreça aos poucos! Ele mentiu!
Iago chegou então acompanhado por outros homens. De início, ameaçou e escorraçou Emília, tentando fazê-la calar-se. No final acabou apunhalando a mulher entre as costelas. No entanto, era tarde: diante de testemunhas, Emília revelara a Otelo toda a verdade.
— Deitem-me ao lado de minha patroa — ela sussurrou. — Ela nunca o traiu, Mouro, nunca. Ela o amava demais. Em meu último suspiro, eu o juro!

Otelo entrou em desespero, lamentando a morte de Desdêmona.
Trouxeram então à sua presença Cássio e Iago: o primeiro, para confirmar sua inocência; o segundo,

para atirar-lhe ao rosto sua trama demoníaca. Otelo tentou matar Iago, mas foi desarmado e só conseguiu feri-lo.

– Continuo vivo – disse o maldito Iago –, só estou sangrando.

– É isso que eu quero – respondeu Otelo –, pois a morte, para mim, é a felicidade.

Uma carta que Rodrigo escrevera para Iago antes de morrer já não deixava dúvida de que tudo fora uma trama escabrosa.

Otelo então pegou um punhal que trazia escondido e se matou.

Ao Estado prestei serviços, todos sabem.
Já não importa. Peço-lhes, em suas cartas,
Ao relatarem esses fatos desgraçados,
Que falem de mim como sou. Não atenuem nada,
Nem usem de maldade. Falem então de alguém
Que não soube amar mas amou demais,
Que não era de ciúme fácil mas que, instigado,
Aturdiu-se ao extremo.

Otelo, ATO V, CENA II

Rei Lear

Personagens principais

LEAR,
Rei da Grã-Bretanha

GONERIL,
filha mais velha do Rei Lear

DUQUE DE ALBÂNIA,
marido de Goneril

REGANA,
segundo filha do Rei Lear

DUQUE DE CORNUALHA
marido de Regana

CORDÉLIA,
filha mais nova do Rei Lear

DUQUE DE BORGONHA,
pretendente de Cordélia

REI DA FRANÇA,
que se casa com Cordélia

CONDE DE GLOUCESTER E
CONDE DE KENT,
nobres leais ao Rei Lear

EDGAR,
filho de Gloucester, que mais tarde se disfarça de Tom

EDMUNDO,
filho bastardo de Gloucester

O BOBO,
bobo da corte do Rei Lear e dado a filósofo

VÁRIAS PESSOAS DO SÉQUITO DO REI LEAR, SOLDADOS E CRIADOS

A ação se passa na antiga Grã-Bretanha.

Rei Lear

Era uma vez um Rei insensato, exausto e vaidoso, o Rei da Grã-Bretanha. A idade o fazia sentir-se cansado, e tinha se acostumado tanto ao poder que se esquecera da responsabilidade que ele acarretava. Certo dia, mandou chamar suas três filhas, Goneril, Regana e a doce Cordélia.

– Estou muito cansado – disse ele. – Quero depor o fardo de governar. Para isso, dividirei meu reino entre vocês, de acordo com seu mérito como filhas. Assim, quero que cada uma me diga o tamanho de seu amor por mim.

– É maior do que as palavras conseguem expressar – declarou Goneril. – Amo-o mais do que meus olhos, minha vida, mais do que qualquer filha já amou seu pai!

– Então darei a você e a seu marido, o Duque de Albânia, um terço de meu reino. E você, Regana? – perguntou o Rei Lear.

– Ah, amo-o tanto quanto Goneril, se não mais! – exclamou Regana.

— Se é assim, darei a você e a seu marido, o Duque de Cornualha, este terço de meu reino. Agora você, Cordélia, mais querida das filhas. Hoje você escolherá com qual de seus reais pretendentes deseja se casar: com o Duque de Borgonha ou com o Rei da França. Mas antes quero que fale de seu amor por mim.

Cordélia sempre fora a mais meiga, a mais afetuosa das filhas em tudo o que fazia. Mas o Rei, muito vaidoso, insistia em sua pergunta:

— O que tem a dizer?

Mas a resposta não foi a que ele esperava.

— Nada, meu pai — disse Cordélia, incapaz de mentir, de lisonjear ou exagerar. Sua dedicação deveria ser suficiente para expressar seu amor.

— Nada?

— Nada. A não ser que o amo tanto quanto uma filha ama o pai.

Nada virá de nada.

Lear, Ato I, Cena I

Pobre de mim, incapaz de trazer
O coração à boca. Amo-o, Majestade,
De acordo com meu vínculo, nem mais nem menos.

Cordélia, Ato I, Cena I

Ao longo dos anos, o temperamento de Lear tornara-se descomedido e descontrolado, como sua vaidade, e agora ele teve um acesso de fúria.

– Você é rude, não tem coração! Como pode ser tão ingrata depois de tudo o que lhe dei? É só isso que minha filha tem a dizer? Que me ama tanto quanto deveria amar? Pois bem, a partir de hoje você já não é minha filha!

E ele dividiu a parte do reino que caberia a Cordélia entre suas irmãs aduladoras, banindo-a sem lhe conceder um tostão.

– Não faça isso, senhor! – protestou o nobre Conde de Kent. Ele era grande amigo e criado do Rei, mas soube identificar sua estupidez. – Então acha que Cordélia não o ama só porque não atendeu a seus caprichos? Então é hora de alguém lhe dizer a verdade: o senhor se tornou um velho insensato e egoísta!

Fez-se silêncio na corte. Todos estavam horrorizados com as palavras do Conde, temendo por sua vida. Será que o Rei recuaria e deixaria de banir a filha mais amada? Ou será que sacrificaria, por capricho, uma pessoa que sempre o estimara e cuidara dele?

– Saia! Como ousa? Saia da minha frente, saia do meu reino, ou morra por sua insolência desleal! – vociferou Lear, numa explosão de raiva.

Antes de ir embora, Kent voltou-se para Goneril e Regana, acusador:

– Quanto tempo levará até que suas ações desmintam todas as suas palavras de amor?

Ele conhecia a índole daquelas duas irmãs. Kent resolveu se disfarçar e permanecer perto de Lear, mesmo arriscando a vida. Seria pelo bem do velho Rei.

O Duque de Borgonha, ao ver a gloriosa Princesa Cordélia reduzida à pobreza completa, rapidamente retirou seu pedido de casamento. Não foi o caso do Rei da França. Com ou sem dote, ele via em Cordélia as qualidades que o próprio pai da moça não enxergava, e tomou-a então como Rainha da França.

– Agora deixarei de lado os encargos de Estado – disse Lear, recuperando a dignidade de Rei, esquecendo o recente desgosto. – Morarei primeiro com você, Goneril, depois voltarei para morar com Regana. Vocês se revezarão, a cada mês, para me alojar e cuidar de mim e dos meus cem cortesãos.

— Cuidem de nosso querido pai — disse Cordélia às irmãs, partindo com tristeza para sua nova vida.

— Não acho que você seja a pessoa adequada para nos ensinar nossos deveres de filhas — retrucou Regana, logo se retirando para cochichar num canto com Goneril.

O Conde de Kent não foi o único ministro a se admirar com a súbita abdicação do Rei Lear. O Conde de Gloucester também a desaprovou com veemência. Mas tinha assuntos particulares com que se preocupar. Seu filho, Edgar, o odiava.

Na verdade, Gloucester se enganava com respeito ao filho tanto quanto Lear com respeito a Cordélia. Edgar era um rapaz cumpridor dos deveres, gentil e dedicado. No entanto, seu meio-irmão Edmundo, antes sempre desdenhado pela família por ser um esbanjador inveterado, conseguira difamar e deserdar o irmão, tomando-lhe o lugar de filho favorito. Insinuara para o pai que Edgar planejava matá-lo para se apossar de sua herança. Forjara uma carta com a letra de Edgar e até produzira um ferimento no próprio peito para mostrá-lo ao velho Gloucester, dizendo ter sido obra do irmão.

– Veja o que ele fez quando me recusei a ajudá-lo a assassinar você – dissera Edmundo. Assim, tal como o Rei Lear expulsara Cordélia, o Conde de Gloucester mandou prender o próprio filho. Edmundo, então, foi ter com o irmão e o aconselhou a fugir, dizendo que alguma intriga provocara a ira do pai contra ele. Crédulo, Edgar aceitou a sugestão.

– Não agüento mais. Esses cavalheiros de meu pai são uns beberrões. Ele destrata meus criados e só faz esbravejar e reclamar. Renunciou ao poder e acha que pode continuar se pavoneando como um Rei. No entanto, não passa de um esbanjador imprestável e senil. Não tenho nervos para agüentá-lo nem mais um dia! – era assim que Goneril expressava seu grande amor pelo pai.

Incitava seus criados a ignorarem o Rei e a não lhe obedecerem, para que ele viesse se queixar, oferecendo-lhe um pretexto para mandá-lo de volta para a casa da irmã.

Goneril não era a única pessoa a repreender o velho Lear. Seu próprio bufão, o Bobo, o espicaçava e insultava por estar naquela situação.

– Você é um bobo – disse o bufão, rudemente.
– Por que me diz isso? – zangou-se Lear.
– Ora, por mais que renuncie a todos os seus títulos, com esse você já nasceu. Bobo você sempre foi.
– Isso é verdade – disse um forasteiro que recentemente passara a prestar serviços a Lear.

De fato, esse recém-chegado era o ministro banido, o Conde de Kent. Disfarçado de modo que Lear não o reconhecesse, convencera-o a admiti-lo como criado, para defender o velho das humilhações e tentar abrir-lhe os olhos para as verdades que o Bobo dizia.

A essa altura, Goneril resolveu enfrentar o pai:
– É simplesmente impossível, papai. Em geral os velhos são sábios. Você, no entanto, está se tornando insensato. Vive cercado por uma centena de cavaleiros, escudeiros e outros serviçais, todos beberrões, debochados, violentos, que estão transformando minha casa num covil de animais. Quero que mande embora pelo menos a metade deles. Fique apenas com os que são de sua confiança, que saibam comportar-se como convém. Se não os mandar embora, mando-os eu, está ouvindo?

– Trevas e demônios! – gritou Lear, fora de si de tão furioso. – Não sou obrigado a tolerar isso! Lembre-se de que tenho outra filha! Se Regana ouvisse você falar assim, arrancaria seus olhos com as próprias unhas! Que loucura me tomou quando julguei que Cordélia fosse uma filha pior que você? Venham cavalheiros, vamos embora daqui!

Mais mordaz do que presa de serpente
É ter um filho ingrato.

Lear, Ato I, Cena IV

Por mais que o marido de Goneril, Duque de Albânia, tentasse se desculpar, não houve como pacificar o velho Lear. Deixou o castelo impetuosamente, mandando que seu novo amigo fosse na frente, levando uma carta ao castelo de Gloucester, onde estavam Regana e o Duque de Cornualha. Na carta, avisava à filha que chegaria com seu séquito ao cair da noite.

Assim seja.
Tenho outra filha
Que, certamente, é gentil e terna.
Quando ouvir o que fizeste, com suas unhas
Esfolará teu rosto de lobo.

Lear, Ato I, Cena IV

Goneril, por sua vez, também mandara uma mensagem à irmã, queixando-se do pai, pedindo que Regana agisse como ela e anunciando que estava para chegar a seu castelo. Seu mensageiro encontrou-se no castelo de Gloucester com o mensageiro de Lear, e os dois entraram em desavença. Por ordem de Regana e de seu marido, o Duque de Cornualha, Kent acabou sendo preso.

Assim, Kent não voltou a Lear trazendo mensagem de boas-vindas. Na verdade, ele não voltou. Lear só ficou sabendo o que acontecera com seu mensageiro quando chegou ao castelo de Gloucester, onde o encontrou preso ao tronco, humilhado e torturado como um criminoso comum.

Quando Regana e o marido, Duque de Cornualha, vieram receber o velho Rei, Kent foi posto em liberdade. No entanto, Regana não acolheu o pai conforme ele esperava. Repreendeu-o pela violência de seus homens, por suas manias que tantos problemas causavam a Goneril e pediu-lhe que voltasse à casa da irmã. A própria Goneril, conforme anunciara, chegou ao castelo para repreender o pai e levá-lo de volta.

– Voltar? Nunca! – indignou-se Lear. – Prefiro ficar ao relento. Ela é uma praga, é de enlouquecer qualquer um! Não, Regana, ficarei com você!
– Impossível, pai. Ainda não preparei a casa para recebê-lo. E, de qualquer modo, só teria lugar para hospedar vinte e cinco de seus cavaleiros.

Presunçosas e arrogantes, as irmãs viam o velho pai ferver de raiva.

– Se é assim, volto para Goneril, levando cinqüenta homens.

– Não vejo por que precisa de mais de dez. Ou cinco – disse Goneril.

– Aliás, um é suficiente – replicou Regana.

Lear pediu aos céus que lhe dessem paciência. Sacudiu a cabeça, puxou a barba, blasfemou e clamou por justiça. Mas as irmãs continuaram irredutíveis. Enfurecido, o velho saiu do castelo com seus homens, em plena tempestade. Regana e o Duque de Cornualha pediram ao Conde de Gloucester que não chamasse Lear de volta e o aconselharam a trancar bem as portas do castelo.

Ao relento, esbravejando e raivoso, Lear enfrentava e maldizia a terrível tempestade.

Sopra, vento, até arrebentar as bochechas! Vocifera,
  sopra!
Cataratas e furacões, jorrai
Até encharcar nossos campanários e afogar os galos!

Lear, Ato III, Cena II

No entanto, embora granizo e neve desabassem do céu, como se fosse um castigo de Deus, Lear, na verdade, estava diante de uma tempestade diferente. Arrependimento, raiva e horror rodopiavam em sua mente, demolindo sua razão, deixando-o fora de si. Em meio ao barro da charneca, o velho caminhava para a loucura.

Essa tempestade em minha mente
Extingue do meu juízo todo sentimento
A não ser o que mais machuca: a ingratidão filial.

Lear, Ato III, Cena IV

Mas então um raio iluminou o mundo e Lear passou a enxergar as coisas de maneira diferente. Quando encontrou o Pobre Tom, um mendigo louco, com o corpo coberto apenas por alguns parcos farrapos, que balbuciava coisas insensatas, Lear julgou ter encontrado um sábio, um filósofo.

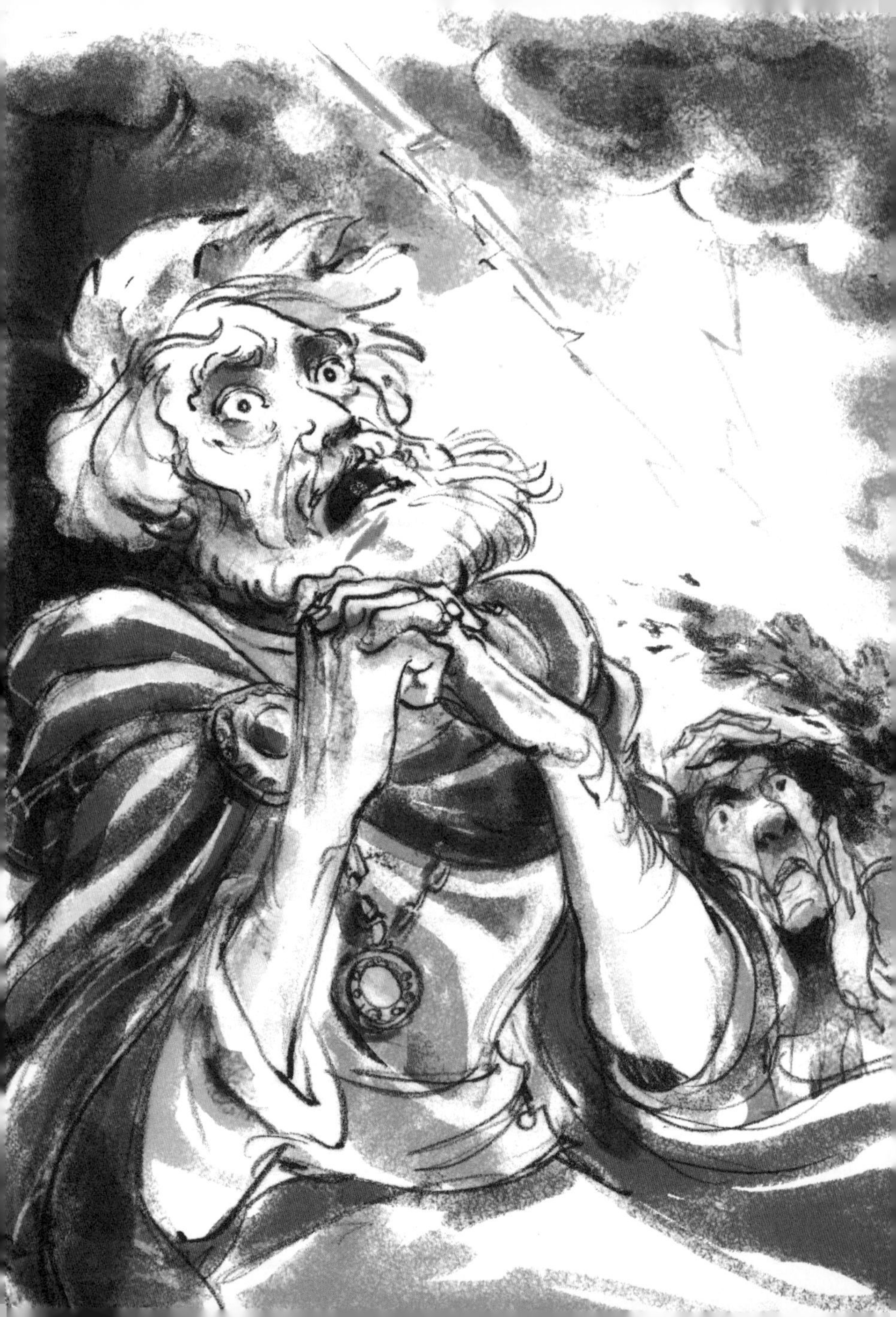

Na verdade, ele encontrara Edgar, o fugitivo. Injustamente acusado e com a vida correndo perigo, o filho caluniado do Conde de Gloucester se disfarçara para dificultar sua captura. Quem daria atenção a um pobre-coitado seminu, perambulando à beira da estrada? Pois Lear deu. Pediu-lhe que explicasse por que o mundo desmoronara à sua volta e ouviu o Pobre Tom como se ele detivesse os segredos do universo: um louco ouvindo um homem que se fazia de louco.

Enquanto isso, o Conde de Gloucester, penalizado, desobedeceu às irmãs impiedosas e foi oferecer abrigo ao velho Rei e seu séquito numa granja que ficava em suas terras. Junto foi Edgar, sem ser reconhecido pelo pai. Lá encontraram calor e repouso. Gloucester instalou-os, prometendo manter-se por perto.

Lear, no entanto, continuava perdido em seus delírios, imaginando as filhas sendo julgadas num tribunal, em que os juízes seriam o Pobre Tom e o Bobo. Em meio à loucura, finalmente o velho adormeceu.

Conforme o prometido, Gloucester voltou, porém trazendo más notícias. A maldade das irmãs avançara. Planejavam agora matar o pai. Kent não quis despertar Lear.

– Ele perdeu a razão. Não vamos incomodá-lo.

– Então leve-o nos braços até a liteira que mandei preparar. Está esperando aí fora, para levá-lo a Dover – disse Gloucester. – O Rei da França, marido de Cordélia, reuniu o exército para derrubar essas duas irmãs demoníacas. Mas é preciso pôr o velho a salvo.

Assim, Lear e seu estranho cortejo puseram-se novamente a caminho, debaixo da tempestade. E Gloucester voltou ao castelo, para enfrentar uma tormenta ainda pior.

Goneril, Regana e o Duque de Cornualha estavam decididos a eliminar da corte os homens de Lear. Considerando que Gloucester os traíra em favor do velho Rei, amarraram-no a uma cadeira e submeteram-no às piores torturas. Para culminar, o Duque de Cornualha arrancou-lhe os dois olhos.

Fora, vil geléia!
Onde está agora teu esplendor?

Cornualha, ATO III, CENA VII

Mergulhado na escuridão, o Conde de Gloucester chamava por Edmundo, o filho que ele imaginava tão leal.

– Por que o chama agora? – perguntou Regana. – Foi ele quem nos denunciou sua traição. Finalmente, Gloucester se deu conta de que o irmão mau usurpara o bom. Edmundo havia mentido a respeito de Edgar, ao acusá-lo de ser um cruel assassino. Edgar, de fato, era o filho mais leal e afetuoso que um pai poderia desejar. Só depois de perder os olhos Gloucester conseguia enxergar a verdade.

Aquela noite, os servidores do castelo mostraram-se bem mais piedosos do que seus senhores. Um deles foi morto por Regana ao tentar impedir que o Duque de Cornualha torturasse Gloucester. Outro foi chamar o Pobre Tom, o maluco da cidade, para guiar Gloucester até onde ele desejasse. E um terceiro fez um curativo nas órbitas vazadas do velho Conde.

O que as moscas são para os meninos travessos,
   somos para os deuses;
Eles nos matam por diversão.
Gloucester, ATO IV, CENA I

Gloucester só queria morrer. Desesperado e cheio de culpa, pediu ao Pobre Tom que o levasse até os altos rochedos de Dover, de onde se jogaria. Tom, o maluco, fingiu concordar.

– Já chegamos?

– Já. Ai, mas que precipício fundo! Lá embaixo tudo parece minúsculo...

O Pobre Tom descreveu tudo tão bem que o velho Gloucester parecia ver as gaivotas, as pedras, o despenhadeiro.

– Tudo bem, então agora me deixe. Aqui está uma bolsa de dinheiro. Vá embora – ordenou Gloucester.

Com os braços estendidos, abençoando o filho com o qual fora tão injusto, o velho Conde lançou-se para a frente. No entanto, abalado e confuso, não percebeu que seu salto fora de apenas alguns pés. O rochedo a que Edgar o conduzira era apenas um montículo coberto de capim. Ofegante, Gloucester não conseguia entender por que ainda estava vivo.

– Não morreu? – disse uma voz desconhecida. – Caiu de uma altura tão grande e continua vivo? Que estranho! Só pode ser um milagre. Eu vi tudo.

Edgar caminhou alguns passos, até onde seu pai estava estirado, e ajoelhou-se ao lado dele.

– Está tudo bem, senhor? Quem foi a criatura infame que o levou até a beira do precipício? Um demônio?

– Deve ter sido – sussurrou Gloucester, estonteado e surpreso. – Como posso saber? Não tenho olhos! Mas deve ter sido o demônio, que leva os homens ao desespero a ponto de se matar.

– Agora tenha bons pensamentos e tranqüilize-se – disse Edgar, ajudando o velho a se levantar.

Edgar saiu caminhando com o pai, porém sem revelar ainda sua identidade. Um pouco adiante, encontraram o Rei Lear, que vinha estranhamente adornado de flores, sempre tomado pela confusão da loucura. Ao saber que o Rei da França desembarcava com seu exército e que a Rainha Cordélia vinha com ele, Kent, Edgar, o velho Gloucester e os demais homens de Lear o conduziram em segurança até a praia.

Cordélia recebeu o pai com a ternura de sempre, perdoando-o por tudo. O velho Rei Lear, no entanto, ainda fora de seu juízo, não conseguia acreditar que estivesse vendo e tocando a filha adorada. Contudo, a tempestade se fora e, pelo menos, ele se sentia em paz. Mas seu corpo e sua mente estavam exaustos.

Com o tempo, as poucas, ele reencontraria o caminho de volta à sensatez.

Eu te peço, não zombes de mim,
Sou um velho muito idiota e amoroso,
De oitenta e tantos anos,
Nem uma hora a mais nem a menos; e, francamente,
Temo não estar em meu juízo perfeito.

Lear, Ato IV, Cena VI

Disputando o amor de um mesmo homem, Regana e Goneril voltaram-se uma contra a outra. Esse homem era Edmundo, filho bastardo de Gloucester. O marido de Regana morrera ferido por um fiel servidor de Gloucester, deixando-a livre para o amante. Goneril passou a tramar com Edmundo a morte de seu marido, o Duque de Albânia.

Vencedor de uma batalha contra o exército francês, Edmundo, que tomara o lugar do Duque de Cornualha, capturou Cordélia e Lear e mandou prendê-los na torre de seu castelo. Pai e filha, no entanto, continuavam felizes por se terem reencontrado e feito as pazes. Juntos, sentiam-se fortes para enfrentar qualquer desgraça.

Nós dois sozinhos cantaremos como pássaros na gaiola.

Se me deres tua bênção, de joelhos
Pedirei que me perdoes.

LEAR, ATO V, CENA III

Edmundo não suportava a felicidade dos dois. Assim, ordenou que Cordélia fosse morta na prisão. Finalmente, num confronto entre Edgar e Edmundo, tudo se revelou. Vencido pelo irmão, Edmundo falou da fidelidade do Conde de Kent, que, sem dizer quem era, acompanhara e protegera o Rei Lear em seu infortúnio; e falou também da lealdade de Edgar ao pai. Ele ainda estava vivo quando chegou a notícia de que Goneril envenenara Regana e se matara.

Num súbito esforço, Edmundo murmurou, ofegante:

– Tanta coisa ruim eu fiz! Agora basta! Corram ao castelo, à torre! Dei ordens para enforcar Cordélia...

Era tarde demais. O carrasco já cumprira seu dever. Ao chegarem à torre do castelo, encontraram vivo apenas o Rei Lear. Agora estava livre para gritar e blasfemar, para enlouquecer de pesar.

– Ela não está morta! Vejam, esta pena se moveu com sua respiração! – disse o Rei esperançoso. Mas logo caiu em si. – Não, a vida se foi. Mas, Cordélia, matei o homem que a enforcou.

E, assim, o Rei Lear morreu com a filha querida nos braços.

O Duque de Albânia, corroído pelo remorso, afastou-se dos inimigos de Lear e convocou Kent e Edgar para juntos governarem e reconstituírem o reino ensangüentado da Grã-Bretanha.

— Não posso — respondeu Kent —, fui convocado por meu senhor para cumprir uma missão.

E esta foi a resposta de Edgar:

Ao peso deste tempo triste devemos obedecer;
Dizer o que sentimos, não o que convém dizer.
O mais velho mais sofreu: nós, mais jovens,
Jamais veremos tanto nem tanto iremos viver.

Edgar, ATO V, CENA III

A tempestade

Personagens principais da peça

•

Os ilhéus:
PRÓSPERO,
Duque de Milão, deposto

MIRANDA,
filha de Próspero, expulsa para a ilha com o pai

CALIBÃ,
monstro nascido na ilha, escravo de Próspero

ARIEL,
espírito aéreo, outrora preso na ilha, que agora ganha a liberdade servindo a Próspero

VÁRIOS ESPÍRITOS CONVOCADOS PELAS MÁGICAS DE PRÓSPERO

Os náufragos:
ANTÔNIO,
irmão de Próspero, que lhe usurpou o ducado

ALONSO,
Rei de Nápoles, que ajudou Antônio

FERNANDO,
filho do Rei de Nápoles

SEBASTIÃO,
irmão invejoso de Alonso

GONÇALO,
velho nobre de Milão que tentou ajudar Próspero

TRÍNCULO,
um bufão

ESTÉFANO,
um mordomo beberrão

A TRIPULAÇÃO

A ação se passa numa ilha encantada, doze anos depois de Próspero ser usurpado e expulso, deixado à deriva no mar.

A tempestade

Miranda tinha a impressão de que vivera a vida toda naquela ilha isolada. Seu pai, Próspero, contava-lhe outra história, mas durante doze anos seu lar fora aquela ilha, e ela não conhecia outro. Lembrava-se do passado como de um sonho, as pessoas eram como personagens de um conto de fadas. Ela e o pai tinham sido desterrados por seu tio Antônio, que desejava ser Duque de Milão em lugar de Próspero. Alonso, Rei de Nápoles, e seu irmão Sebastião tinham ajudado a largá-los no mar, num barco à deriva. Miranda e o pai certamente teriam morrido se não fosse a ajuda de um velho amigo: Gonçalo, arriscando a vida, abastecera o barco com água e comida. Sua coragem sem dúvida salvara Miranda e Próspero. No entanto, o destino os lançara naquelas praias desabitadas.

Quer dizer, na verdade aquela ilha não era completamente desabitada. Antes da chegada de Próspero, ela pertencera à bruxa Sicorax, que a povoara de espinheiros, árvores contorcidas, charcos malcheirosos e rochas nuas. Sicorax também havia capturado espíritos do ar e do mar, como uma enorme aranha preta que prendia moscas em sua teia, fazendo-os de escravos. Quando Ariel, um espírito aéreo, a desafiara, ela o prendera dentro de um pinheiro rachado, onde ele passava os dias gemendo, agoniado. Ao morrer, a bruxa deixara um filho, o grotesco Calibã, que se arrastava pelas praias e pelos matagais da ilha.

Mas Próspero também era versado em magia e, quanto mais vivia em seu exílio longo e solitário, mais aperfeiçoava suas artes. Coloriu a ilha com flores e cobriu de verde todas as suas rochas nuas. Pendurou frutos nas árvores e colocou peixes em suas lagoas. Soltou o espírito Ariel de dentro do pinheiro e até tentou educar e civilizar o monstruoso Calibã, tarefa que se revelou difícil demais. E Próspero esperava o tempo todo. Esperava o quê? Ser resgatado? Certamente não, pois, se antes fora Duque de Milão, agora era imperador de um reino mágico.

Certa noite, para aflição de Miranda, Próspero fez erguer-se uma tempestade. Estudou atentamente seu livro de encantamentos, desenhou símbolos na areia, extraiu misteriosa magia das nuvens e, com ajuda de

Ariel, desencadeou uma tempestade como nunca a ilha vira igual. O mar invadia o céu, a chuva abundante mosqueava as rochas, as folhas de palmeira balançavam e se enlaçavam, fustigando o ar. Em alto-mar, um navio que passava foi pego no centro da tempestade. Ariel fulminou-o de raios, agarrou-se em forma de fogo a seus mastros, rasgou suas velas com granizo e ofuscou seus passageiros e sua tripulação com a chuva. O navio foi arremessado contra os rochedos, onde ficou preso numa fenda, como Ariel, outrora, em sua árvore.

A cinco braças completas está teu pai.
De seus ossos fez-se coral:
Pérolas são o que eram seus olhos;
Nada dele se apaga
Mas é transformado pelo mar
Em algo rico e estranho.

Ariel, Ato I, Cena II

– Por quê, pai? – indagou Miranda. – Que tempestade horrível! Aquela pobre gente perdida! Por que está fazendo isso, papai?

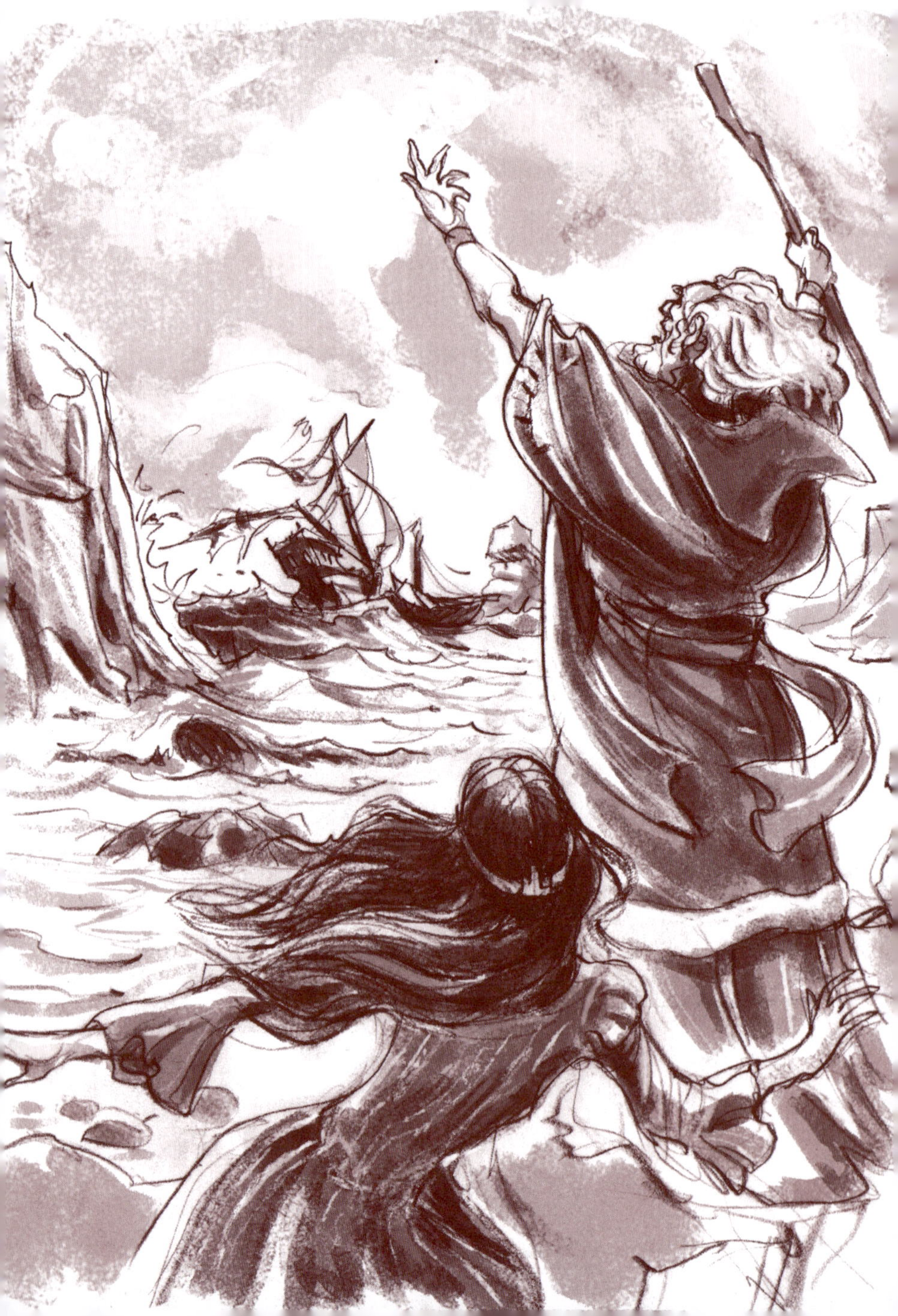

Se por sua arte, pai querido,
Fez rugir as águas violentas, alivie-os.

Miranda, ATO I, CENA II

– Tenho minhas razões – disse Próspero, deixando o vento amainar. – E nem todos se afogaram. Veja aquele jovem que vem em nossa direção, por exemplo. O que acha dele?

Miranda olhou pela porta gotejante de sua caverna na montanha e viu um rapaz perambulando pelos caminhos da ilha, atordoado e aflito. De vez em quando, ele chamava:

– Pai! Pai! Alguém! Ninguém sobreviveu? Só eu?

– Quem é ele? Um deus? – sussurrou Miranda, apertando os dedos contra a boca. – Como é lindo! Já viu beleza igual, pai?

Ela estava acostumada à graça etérea de Ariel, feita de penas verde-azuladas, que nada tinha a ver com aquele homem. Ele era de carne e sangue. Era uma maravilha.

No entanto, Próspero não acolheu Ferdinando com simpatia e gentileza. Ao contrário, foi cruel com ele, acusando-o de ter aportado na ilha para roubá-la. Chamou-o de espião, traidor, e ameaçou colocar-lhe grilhões no pescoço e nos pés. Quando Ferdinando ergueu a espada para resistir, a magia de Próspero o imobilizou. Embora Miranda implorasse ao pai que não fizesse mal ao rapaz, Ferdinando foi acorrentado como um criminoso e condenado a trabalhar carregando lenha.

No entanto, o Príncipe Ferdinando não se abalara muito. Vira Miranda, milagre da ilha, e ela correspondera a seu olhar afetuoso. Para ele, nada mais importava.

Ferdinando estava errado ao imaginar que seu pai tivesse morrido. Embora Próspero soubesse da verdade, pois comandara todos os detalhes da tempestade, ele nada fez para tranqüilizar o rapaz. De fato, tornara Ariel invisível e fizera-o cantar tristes canções de naufrágio ao ouvido de Ferdinando.

O pai de Ferdinando, Rei Alonso, não morrera. Ele e metade da nobreza de Nápoles e de Milão espalhavam-se pelas praias da ilha, conforme os planos de Próspero. Estavam todos encharcados, exaustos, mas vivos. Entre eles, encontrava-se Antônio, inimigo mortal de Próspero.

Mortificado de tristeza, o Rei Alonso, por sua vez, pensava que o filho tivesse morrido. Seus companheiros, especialmente Gonçalo, tentavam consolá-lo dizendo que talvez Ferdinando tivesse nadado até a praia, mas na verdade ninguém acreditava nisso. A compaixão de alguns era mais sincera do que a de outros. Assim que o Rei e Gonçalo se recolheram para dormir, Antônio saiu para exercer sua atividade favorita: conspirar e tramar intrigas assassinas.

– Se você matasse Alonso agora que ele está dormindo – ele sussurrou para Sebastião – e eu acabasse com aquele tal Gonçalo, você voltaria daqui como Rei de Nápoles. Afinal, você é herdeiro do trono...

– Eu? Tomar Nápoles como você tomou Milão de seu irmão?

– Isso mesmo. E como os trajes dele ficam bem em mim!

– Não sei se eu seria capaz – Sebastião hesitou.

– Nada mais simples – insistiu Antônio, insidioso. – Entre você e a coroa de Nápoles há apenas três polegadas de aço. Não pense mais. Vamos juntos, já.

Eles não sabiam que cada palavra pronunciada na ilha ressoava nos ouvidos de Próspero, que imediatamente mandou Ariel acordar as vítimas. Alonso e

Gonçalo escaparam por um triz de serem degolados. Os assassinos perderam a oportunidade. O crime deveria ser adiado. Assim, os quatro saíram juntos à procura do filho perdido de Alonso.

O monstro Calibã ocupava-se maldizendo sua vida miserável quando ouviu alguém se aproximar. Escondeu-se na mesma hora, temendo que fosse um dos espíritos de Próspero enviado para punir sua preguiça com beliscões. Quem chegava eram Trínculo e Estéfano, dois outros sobreviventes do naufrágio. Trínculo, bufão de Alonso, olhava à sua volta em busca de abrigo para se proteger de mais uma rajada de chuva. Ao ver a capa de Calibã, arrastou-se para debaixo dela. Estéfano, mordomo de Alonso, atravessara a ilha aos tropeções antes de tropeçar em Calibã. Em virtude de um achado milagroso, ou seja, várias garrafas de vinho trazidas à praia depois do naufrágio, seu cérebro estava afogado em álcool. Ao ver o que imaginava ser uma aberração de quatro pernas e duas bocas, generosamente ele despejou vinho nas duas bocas, uma em cada extremidade.

– Trínculo, esta ponta é você!
– Estéfano, você está vivo!

Assim os dois trapaceiros se reuniram.

– Pode me dar um pouco mais de vinho? – pediu Calibã.

Calibã se encantou com o sabor daquele licor do outro mundo. Pediu a Estéfano que fosse seu deus, jurando servir-lhe como escravo e cultuá-lo. Prometeu aos dois tudo o que havia na ilha, as melhores fontes e frutos. Prometeu pescar e carregar lenha para eles, desde que se livrasse do jugo de Próspero, que havia lhe roubado a ilha. Se Estéfano acabasse com Próspero, Calibã lhe entregaria o comando da ilha e seria seu servo para sempre. Calibã estava embriagado. Sua cabeça girava, suas nadadeiras batiam como as de uma foca, só de se imaginar dançando sobre o corpo de seu tirano. No entanto, também ele se esquecera de que Próspero ouvia todas as palavras ditas naquele lugar.

Os três cantavam. Estéfano fazia planos de matar Próspero e tornar-se Rei da ilha. Miranda seria a Rainha, Calibã e Trínculo os vice-reis. Próspero enviou Ariel para acompanhá-los, tocando flauta e tambores. A música os impelia a dançar sempre, quisessem ou não. Mesmo assim, Ariel não conseguiu tirar-lhes do coração a decisão de matar Próspero e tomar sua ilha.

Não tenham medo. A ilha está cheia de ruídos.
Sons e doces árias, que dão prazer e não magoam.
Às vezes mil instrumentos soam
E zumbem em meus ouvidos, e até vozes
Que, se acabei de acordar de longo sono,
Fazem-me adormecer de novo.

Calibã, ATO III, CENA II

— Por favor, sente-se e descanse. Carregarei um pouco dessa lenha. Mas sente-se, você parece muito cansado.

— Prefiro quebrar as costas sob o peso a aceitar isso de você. Como posso estar cansado se tenho sua companhia?

Quem conversava assim eram Ferdinando e Miranda. Sem ser visto, Próspero os observava, sorrindo de prazer. Era difícil dizer qual dos dois estava mais apaixonado, sua filha ou o Príncipe Ferdinando. Em nenhum lugar do mundo seria possível ver reunidos dois jovens tão admiráveis. Próspero planejara aquele encontro desde o início. Tratara Ferdinando com tanta rudeza apenas para testar sua índole e ter certeza de seu valor.

Então resolveu acabar com a aflição dos dois: abraçou Ferdinando calorosamente e falou de seu desejo de casar Miranda.

– Ela o fará mais feliz ainda do que você imagina, meu rapaz. Durante doze anos a mantive aqui, junto de mim, e sei de sua perfeição.

Próspero passou a tratar o visitante como gostaria de ter feito desde o início, com hospitalidade e amizade. Criou então uma farsa representada pelas deusas Ceres, Juno e Íris. Embora fosse apenas uma ilusão encenada por sombras, uma beleza que se esvaiu como arco-íris após a tempestade, Ferdinando e Miranda ficaram encantados.

Próspero, no entanto, não conseguiu se alegrar com sua própria magia. Intimamente fervia de raiva só de pensar em Calibã, aquele monstro ingrato, que instigava os vis conspiradores ao assassínio sangrento. Junto com Ariel, Próspero soltou os gnomos da floresta para chutar e espicaçar, espancar e socar os três bêbados. Era como se Próspero odiasse Calibã por ser tão feio e rude em meio a seu belo paraíso.

Ariel, instrumento da vingança de Próspero, começou a ter pena daquelas vítimas. Não lamentava por Calibã, mas pelos nobres em quem agora Próspero se vingava por seus doze anos de exílio. No entanto, obediente, ele seguia as instruções do patrão. Próspero preparou outra farsa, zombando do Duque Antônio, do Rei Alonso, de Sebastião e de Gonçalo, oferecendo-lhes visões de banquetes que desapareciam antes que eles pudessem saborear as iguarias. Fez Ariel prendê-los num matagal, impedindo-os de sair do lugar e obrigando-os a ouvir seus crimes alardeados em voz alta através dos troncos que eram as grades de sua prisão.

– Você Antônio, você Alonso, você Sebastião! Nós os conhecemos! Vocês são os criminosos que destituíram o Duque Próspero e o lançaram ao mar com sua filhinha inocente, ao encontro da morte. Veja, Alonso, a morte de seu filho é o preço que você está pagando pela morte de uma criança. Isso mesmo, chore por seus crimes!

– Onde eles estão agora, Ariel? – perguntou Próspero.

– Lá onde me mandou colocá-los, patrão, e tão desgraçados que, se eu fosse humano, teria piedade deles.

– Teria? Pois é o que vou fazer, meu fiel Ariel. Eu lhe prometi a liberdade se me servisse lealmente, não foi?

Ao ouvir falar em liberdade as penas verde-azuladas flutuaram como um pássaro marinho pairando sobre o mar.

– Logo cumprirei minha palavra – continuou Próspero. – Solte meus inimigos e traga-os até aqui.

Com seu cajado, Próspero desenhou um círculo mágico no chão, para prendê-los por mais algum tempo. Amanhecia. Ao sentir o calor da manhã, Próspero afrouxou sua capa mágica no pescoço. Os signos místicos desenhados em seu tecido cintilavam. Sua cabeleira branca fazia-o parecer um deus, ali em pé, observando a ilha que era seu reino. Apoiando-se pesadamente no cajado, pela última vez ele se dirigiu aos espíritos da ilha.

– Adeus, espectros das lagoas de pedra, fantasmas do verde mar, duendes das florestas. Minha magia deu-me tal poder que eu poderia eclipsar o sol ou despertar os mortos para dançar. Mas agora tudo isso acabou. Homens não são deuses e, quando tentam sê-lo, tornam-se tiranos.

Deixou a capa cair-lhe dos ombros. Quebrou seu cajado mágico e, trazendo o livro de magia da caverna, arremessou-o para baixo, na direção do mar. A lombada se rompeu e suas páginas flutuaram no ar como milhares de gaivotas.

Ariel levou todos os inimigos de Próspero para dentro do círculo mágico. Eles olharam para cima e viram, no alto de um promontório, de cabeleira branca e ar majestoso, o homem que julgavam morto no mar havia muito tempo.

– Próspero? – todos exclamaram, ofegantes.

– Sim, Antônio, Alonso, Sebastião. Sou Próspero, o Duque de Milão que vocês deixaram à deriva em alto-mar. Por isso lhes atormentei o corpo e o espírito. Mas agora os perdôo. Tudo o que lhes peço é a devolução de meu ducado.

– Ah, ele é seu, ele é seu! – exclamou Alonso. – Cada tijolo e cada vidraça dele são seus. Essa última tempestade ensinou-me que um ducado não é nada em comparação com a perda de um filho.

– Conforme-se com sua perda, Alonso – disse Próspero, com sabedoria. – Também perdi uma filha na tempestade da noite passada, mas resignei-me à perda.

– É mesmo? E como?

Então, vendo que Alonso de fato se transformara, Próspero puxou a cortina que fechava a abertura da caverna. Ali estavam Ferdinando e Miranda, sentados, jogando xadrez. Maior que o espanto de Alonso era apenas o de Miranda, ao ver seu mundo, antes vazio, subitamente cheio de tantos rostos humanos.

Ariel, obediente até o último momento, soltou o navio da fenda dos rochedos e despertou os marinheiros, que o tempo todo haviam dormido um sono mágico. A viagem do Duque de Milão e do Rei de Nápoles, interrompida pela tempestade, poderia continuar em segurança.

Até Estéfano e Trínculo, espancados e machucados, caíram a bordo no último momento e ficaram gemendo no porão.

Bom tempo e navegação segura foram os últimos presentes que Próspero conseguiu tirar do baú das mágicas. Depois disso, tudo o que pôde dar foi a liberdade a Ariel, a bênção de pai à filha e ao genro, e a sabedoria de um velho a seus súditos do ducado de Milão.

Calibã foi deixado sozinho em sua ilha. Não ficou ninguém para torturá-lo, espicaçá-lo ou obrigá-lo a carregar lenha. Não ficou ninguém para chamá-lo de monstro horrível. Não ficou ninguém que ele pudesse maldizer, invejar ou odiar. Mas também não ficou a doce Miranda, não ficou nenhum mago para encher o ar de música; não ficou ninguém que ele pudesse culpar pelas desgraças do dia, ninguém para levantar tempestades no mar.

Nossas festas terminaram. Esses nossos atores,
Como já lhes disse, eram todos espíritos e
Derreteram-se em ar, em ar rarefeito;
E como o tecido etéreo dessa visão,
As torres envoltas em nuvens, os palácios alegres,
Os templos solenes, o próprio globo grandioso.
Sim, tudo o que é herança se dissolverá;
E, como se apagou esse quadro insubstancial,
Sem deixar rastros. Somos da mesma matéria
De que são feitos os sonhos, e nossa pequena vida
Desfecha-se com um sono.

Próspero, ATO IV, CENA I

IMPRESSÃO E ACABAMENTO:
YANGRAF Fone/Fax: 6195.77.22
e-mail:yangraf.comercial@terra.com.br